브 래 킷

현대건축 이론 기반의 설계 방법론

브래킷
발 행 | 2024년 07월 30일
저 자 | 정태종
펴낸이 | 한건희
펴낸곳 | 주식회사 부크크
출판사등록 | 2014.07.15.(제2014-16호)
주 소 | 서울특별시 금천구 가산디지털1로 119 SK 트윈타워 A동 305호
전 화 | 1670-8316
이메일 | info@bookk.co.kr

ISBN | 979-11-410-9836-0

www.bookk.co.kr

브래킷

정 태 종 지음

CONTENT

프롤로그

우리가 사용하는 언어를 구성하는 단어에는 단일한 의미가 있는 경우보다는 다양한 분야에 적용하는 유사 의미가 있는 경우가 다반사다. 브래킷(Bracket)이라는 단어는 기본적으로 문자나 문장, 수식, 숫자의 앞 뒤를 막아 다른 문자열과 구별하는 문장부호이자 기호로 괄호, 묶음표, 순우리말로는 도림이다. 건설분야에서는 덕트나 관을 지지하고 기기를 매달기 위해 구조체에 돌출시킨 지지 구조재이며, 치과 교정치료에서 브라켓은 교정용 철사를 연결하여 교정력을 치아에 전달하는 장치로 사용된다. 후설의 현상학에서 괄호는 눈 앞의 대상을 지각하는 과정에서 판단하기 어려울 때 괄호를 치고 잠시 판단을 중지하는 판단중지라는 에포케(Epoche) 의미가 있다.

현대건축의 건축설계와 건축계획을 전공하는 입장에서 새로운 아이디어와 뛰어난 모티브를 이용하는 설계방식의 한계에 대응하는 것이 건축의 시대적 흐름과 한계를 극복하는 이론기반 건축설계 방법론이라 나름대로 정의하고 건축설계는 그 결과물이라고 생각한다. 설계과정에서 나타나는 수많은 상황은 판단중지가 필요하고 괄호치기 안에서 나름의 근거와 타당성을 찾아 부여하게 된다. 그렇기에 판단보다는 판단중지가 더 중요하며, 판단중지라는 상황은 건축설계 뿐만 아니라 삶의 과정 중 매 순간 우리 앞에도 나타난다. 이러한 과정 속에서 현대건축 설계방법론을 바탕으로 건축 설계를 하고자 한 노력이 기본계획, 설계논문, 초대전, 공모전 지도 등 다양하게 나타났고 일정 기간의 결과물을 정리하였다. 같이 했던 사람들에게 고마움을 전한다.

표준화와 자율적인 근대건축에서 탈피한 현대건축이 현상학과 위상학과 복잡계 건축 등으로 확장하게 되는 것은 상황 속 판단중지에서 가장 적절함을 찾기 위한 노력이라고 생각한다. 지금까지 해왔듯 현대건축의 한계를 극복하는 새로운 설계방법론을 찾는 노력은 지속될 것이다.

01. 파라메트릭 + 생기론

홍은 주택 2023
트리니티 T 2020

홍은 주택 2023

소규모 주택 설계 과정에서 건축 평면의
위상학적 공간구성의 다양한 변화 가능성
에 관한 연구

벽돌의 영롱쌓기를 파라메트릭 디자인으로 요소
화하고 변화하는 패턴을 건축형태와 공간구성원
리로 이용한다. 또한, 소규모 단독 주택 설계안의
다양성 속에서 평면 공간 구성의 위상학적 대안
가능성을 파악하고자 한다. 제공한 위상학적 수
평적 관통과 수직적 보이드라는 두 가지 대안은
소규모 주택의 공간 구성에서 서로 대립하면서도
많은 공간 구성의 다양성을 포괄할 수 있는 극단
적인 전형으로서의 역할을 수행할 수 있으며 많
은 건축 설계안의 공간 구성은 각 대안의 범주 안
에서의 변형으로 예측된다.

연구의 목적

한국 내 주거시설은 크게 단독 주택과 공동주택으로 나눈다. 현재는 경제적 가치 및 편의성 등 다양한 가치로 한국의 주거 선호 유형은 개별 단독 주택보다 공동주택이다. 그러나 단독 주택은 외부 환경과의 직접적 연결 및 소통, 자유로운 평면의 공간 구성, 자연 환기와 자연 환경 등 여러 가지 유리한 측면이 있어 최근 선호도가 올라가고 있는 추세이다. 또한, 최근 한국은 도심의 협소주택처럼 작은 대지를 이용하여 작지만 다양한 공간을 활용하려는 건축 디자인이 나타나고 있다.

이러한 점을 고려하여 본 설계안에서는 소규모 단독 주택의 설계 과정에서 나타나는 건축 평면의 다양성을 살펴보고 건축 평면의 다양성이 나타나는 과정에 촛점을 맞추어 소규모 주거시설의 위상학적 공간 구성이 건축 설계 과정에서 변화하는 평면 분석을 통하여 소규모 주거 공간 구성의 변화 가능성과 기존 단독 주택의 평면과의 상관관계를 찾아보고자 한다.

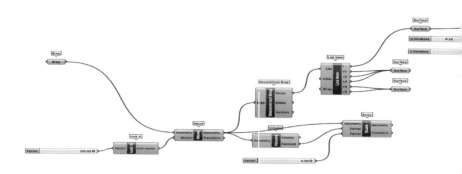

연구방법 및 절차

연구 방법은 첫 번째로 한국 주거 생활 양식 중 단독 주택의 변화에 따른 이론적인 배경과 경향에 대한 특징들을 살펴보고 관련된 문헌을 고찰한다.

이후 대상지의 맥락과 주변 환경, 프로그램, 사용자, 건축주의 요청사항을 분석하고 공간 구성과 대안을 제안한다.

세 번째 단계는 초기부터 최종까지 전반적인 설계 과정에서 나타나는 평면 공간 구성의 설계안을 분석하여 위상학적 공간 구성의 특성을 중심으로 공통점과 차이점을 검토하고 전형적인 유형을 분석한다.

이 자료들을 근거로 기존 건축 설계 과정에서 나타나는 평면 공간 구성의 특성 및 변화 가능성을 확인한다.

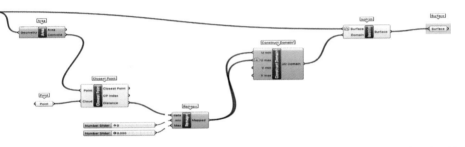

Brick Pattern Formation with
Parametric Design, Grasshopper

13

■ Site

서울시 서대문구 홍은동

대상지 맥락과 현황: 서울시 서대문구 홍은동

건축 설계 대상지는 서울시 서대문구 홍은동이다. 국토의 계획 및 이용에 관한 법률에 따른 지역 지구는 도시지역, 제1종일반주거지역이다. 대상지의 대지 면적은 179㎡로 건폐율은 제1종일반주거지역 60% 이하이며, 용적률은 500% 이하이다. 현재 주택은 지하 1층, 지상 1층의 연와조로 경사가 심하여 하부에 주차장이 위치하고 외부계단을 이용하여 주택의 주출입구로 연결된다. 주변에는 백련산과 안산이 있어 자연환경이 뛰어난 곳이며 저층주거와 공동주택이 혼재된 특색을 갖춘 곳이다.

Site Environment

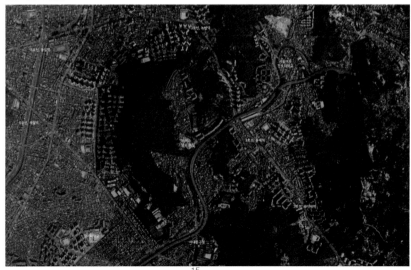

Plan Iterations

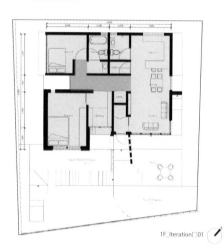

1F_Iteration□01

1F_Iteration□02

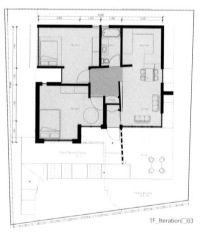

1F_Iteration□03

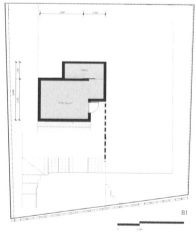

B1

소규모 주택 설계의 평면 위상학적 공간 구성 대안

본 설계안은 우선 건축주의 요구사항과 대상지 및 주변 환경분석을 바탕으로 법규검토를 시행하였다. 이후 기존의 주택 평면을 기준으로 프로그램, 다양한 공간 구성, 규모와 배치, 매스 스터디, 대안을 결정하였다. 이후 외부 공간, 빛, 건축 재료, 동선으로 공간별 분위기를 설정하고 구현하였고 여러 단계의 설계안을 구성하고 제시하였다.

기존 주택은 방(R) 3개, 화장실(T) 1개, 거실(L), 식당(D), 부엌(K)이 서로 분리된 상태의 공간 구성을 이루고 있다. 건축주의 요구와 규모의 한계로 인하여 실 프로그램은 방 2개, 화장실 2개, 거실, 식당, 부엌으로 결정하였다.

프로그램 중 공용공간인 LDK와 개인공간 방을 구분하고 각 조닝(Zoning)을 연결하는 복도를 넣어 수평적으로 위상학적 관통을 형성하였다. 이후 건축주의 개인 공간의 확장 요청에 따라 개인공간이 극대화하면서 복도가 최소화되고 기능적으로 변화하였다.

이러한 공간의 변화를 위상학적으로 접근하고자 모든 실과 연결하는 내부 중앙의 중정을 형성하고 다른 공간보다 상부를 높여 천장을 만들고 빛과 환기의 기능화 함께 수직적 보이드라는 위상학적 공간을 형성하였다. 이와 함께 벽돌 영롱쌓기를 이용하여 파라메트릭 패턴으로 외부 입면을 디자인하였다.

Interior Space Iterations

한국 주거 생활양식은 시대에 따라 다양하게 변화되어왔다. 그중 역사적으로 한국의 주거 생활을 대표하는 주거 양식은 크게 한국의 전통주택, 도시형 한옥, 일본과 서양의 영향을 받은 외인주택, 공동주택 등으로 나눌 수 있다. 한국 단위주택계획의 변천은 한국 전통 주거 양식과 외래에서 수입한 주거 양식들 사이에서 오랜 기간 갈등과 변화를 거치면서 정착되었다.

한국 주택의 평면구성은 다양한 공간적 특성이 있다. 한국의 주택은 한국전통건축으로부터 역사적 변화가 많은 사용자의 생활양식을 반영하면서 발전하여왔다. 그로 인해 지속적으로 유지되는 것과 비지속적으로 변화하는 요소들이 나타난다. 특히 1970년대에는 한국 전통건축과 완전히 다른 서양의 공동주택이 수입되어 다양한 변화를 거쳐 정착되면서 최근에는 공동주택의 공간 구성에 전통 건축에서 나타나는 공간적 특성이 유지되고 있다.

Interior Atrium Atmosphere

파라메트릭 디자인을 이용한 소규모 주택 설계의
내, 외부 공간 구성 대안

공간구성의 변화를 위상학적으로 접근하고자 모든
실과 연결하는 내부 중앙의 중정을 형성하고 다른
공간보다 상부를 높여 천장을 만들고 빛과 환기의
기능화 함께 수직적 보이드라는 위상학적 공간을 형
성하였다. 이와 함께 벽돌의 영롱쌓기를 이용하여
파라메트릭 패턴으로 건축 형태를 생성하였다.

Exterior View

21

A Study on the Possibility of Diverse Topological Change in Spatial Composition of Architectural Planning in Small Single-Family Housing Design Process

The purpose of this study is to find out the possibility of topological alterations in spatial composition and to check the range of topological diversity in architectural plan of small scale housing facility. There are two architectural design proposals in plan drawing which are revealed different topological horizontal penetration and vertical void which are typical and popular types in contemporary architectural design. These topological architectural designs confront each other with topological difference and they can be the extreme typologies which cover the possible diversity in architectural plan design. Many of architectural design proposals and spatial composition will be a alteration between two extreme categories and these extreme topological proposals can be a prediction tool of plan and spatial alterations in architectural design process.

참고문헌
1. 김영하, 조성학, 공동주택 단위평면계획의 변화과정에 관한 연구, 대한건축학회 논문집 - 계획계 24(2), 2008.
2. 정태종, 한국 공동주택 평면계획에서 나타나는 시대적 주거생활양식의 공간구성 특성에 관한 연구, 대한건축학회 학술발표대회 논문집, 42(2), 2022.

트리니티 T 2020

파라메트릭 디자인을 이용한 소규모 근생 외피
형성의 다양한 변화 가능성에 관한 대안

Parametric T Pattern Nighttime

건축주의 요구사항이자 주요 프로그램인 트리니티(Trinity)의 이니셜인 T를
모티브로 건축 디자인 요소화하여 솔리드와 보이드 개구부와 연동한 입면에
T 형태를 연결하여 복합화한 공간구성을 형성한다. T 패턴은 파라메트릭 디
자인을 이용하여 연속적인 공간 변화를 생성하여 입면의 다양성을 구축한다.

Iteration_ Parametric T

Iteration_Vertical Louver

02. 단위 유닛 x 복잡계 건축

괴산 근생 2021

위상학, 복잡계 이론, 현상학의 결합을 통한 복합 공간구성 건축 설계안

- 위상학적 관통, 단위 요소의 반복, 빛의 분위기를 이용한 근린생활시설 -

현대건축은 다양한 현대사회의 수많은 사건과 현상으로 나타나는 도시 건축과 사회적 문제를 공간적으로 해결하고자 하였다. 그 결과로 새로운 건축설계안은 현대건축의 다양한 표현 경향을 통하여 시각화하고 형태화하였다. 이 연구는 위상학적 건축 요소들과 건축현상학의 조합이라는 현대건축 형태생성 과정을 통하여 복합적 건축 설계안을 제시하였다. 연구 결과는 다음과 같다.

1. 본 건축 설계안의 기본적인 공간 구성은 위상학적 관통과 보이드를 기준으로 구성함과 동시에 각 공간에 빛과 다양한 건축 재료, 수직적 레벨의 변화를 통하여 공간적 경험을 제공하고 시간과 동선에 따른 다양한 현상학적 분위기를 형성하는 복합적 공간을 제안하였다.

2. 위상학적 공간을 형성하는 주요 구성 요소는 관통, 보이드, 접기 등이며 그중 본 설계안에서는 두 개의 축으로 구성된 관통을 이용하여 공간구성의 중심축을 설정하고 중정으로 수직적 보이드를 표현하였다. 위상학과 함께 박공 유닛을 이용한 단위 공간 요소의 반복을 구현하였다.

3. 현상학적 공간 분위기를 위하여 빛과 함께 벽돌과 루버 등 건축 재료의 특성을 사용하였다. 또한, 다양한 공간의 경험을 위하여 동선을 수직 레벨의 변화와 연결하여 현상학적 공간을 제공하였다. 그리고 층의 분화와 함께 다양한 동선의 끝인 2층 남쪽과 옥상에서의 시각적 조망을 제공함으로써 주변과의 관계를 지각하게 하였다.

현대건축은 위상학, 복잡계 건축, 현상학의 장점을 이용하여 다양한 건축 설계 방법론으로 발전하였다. 그러나 각 방법은 서로 보완이 요청됨에도 불구하고 사유 과정에서 나타나는 한계와 차이로 인해 대립된 상태로 진행되었다. 이를 극복하기 위해 각 경향의 관계가 기존의 대립적 성격을 보완할 수 있는 사례로 상기 복합적 건축설계안을 제시하며 이는 추후 현대건축 설계에서 통합 디자인으로 발전하면서 디자인의 중심 원리로서 확장할 것이다.

연구의 목적

현대건축은 기존 근대건축의 표준화와 합리화를 통한 자기 완결성이라는 결과물에서 나타나는 문제점을 극복하고 현대사회의 다양한 사건과 현상으로 나타나는 수많은 사회적 요청과 도시 건축의 문제를 공간적으로 해결하고자 노력하였다. 그리고 그 결과인 새로운 건축설계안은 다양한 건축적 표현 경향을 통하여 시각화하고 형태화되었다(Breitschmid, 2008; Go, 2015; Han, 2016). 근대건축이 보였던 인간 소외의 문제점을 해결하고자 도입한 건축현상학은 건축과 자연 사이의 관계를 통하여 장소성과 정체성을 형성하고 다양한 자연 요소와 건축 재료를 이용한 분위기 창조, 다양한 동선을 제안하여 경험자의 움직임에 따라 펼쳐지는 공간의 시나리오와 주체의 극적인 체험의 공간 등이 설계의 중요한 요소가 되었다.

또한, 현대건축은 도시에서 건축의 대상들의 관계를 변화시키는 위상학적 유형을 만드는 구조주의적 건축과 단위 유닛의 반복이 중심이 되는 과학적 복잡계 이론을 바탕으로 새로운 현상과 공간을 구현해 내는 건축적 설계방법론으로 전환하였다. 최근에는 현상학적 건축의 바탕 아래 다양한 위상학적 유형의 디자인을 활용하는 디자인을 이용하여 공간과 주체의 경험과 그에 따른 공간의 본질 등이 표현되고 있으며 이러한 복합화 경향은 현대건축의 다양성과 함께 새로운 건축 설계방법론의 가능성을 보여주게 되었다(Jesus, 2019; Lee & Lee, 2020; Marcos, 2020; RCR, 2018).

본 연구에서는 현대건축의 설계방법론의 복합화 경향에 대한 이론적인 고찰과 복합화 경향의 건축적 표현의 특징들을 살펴보고 형태 형성 방법과 입면 디자인 원리에 따른 표현 특성 분석을 통하여 현대건축의 복합화한 설계방법론과 건축계획을 이용한 구체적인 건축설계안을 제시함으로써 새로운 설계방법론의 가능성을 제공하는 것을 목적으로 한다.

연구방법과 절차

연구 방법은 첫 번째로 현대건축의 설계방법론에 대한 이론적인 배경과 건축 디자인 경향에 대한 특징들을 살펴보고 관련된 문헌을 고찰한다. 이를 기반으로 위상학, 복잡계 건축, 건축현상학을 이용한 건축 설계 방법의 건축 요소를 설정한다.

이후 대상지의 맥락과 주변 환경, 프로그램, 사용자, 건축주의 요청사항을 분석하고 공간 구성과 대안을 제안한다.

세 번째 단계는 위상학, 복잡계 건축, 건축현상학의 건축 요소와 공간 구성을 연계하여 구체적인 관계성을 형성하고 적절한 설계안을 제시한다. 설계안의 계획방향과 설계 과정, 프로그램의 구성, 공간 구성, 맥락과의 대응 관계 등을 검토한다.

이 자료들을 근거로 기존 현대건축에서 사용하는 설계방법의 보완 및 가능성을 확인한다.

현대건축의 공간구성과 복합화 경향

근대건축의 정점인 1960년 이후 현대건축은 표준화와 자율성을 중심으로 하는 근대건축의 문제점을 극복하기 위한 새로운 유형의 건축이 나타났다. 이후 지속적으로 변화하면서 구조조의, 복잡계 건축, 그리고 건축현상학까지 다양하게 나타난다.

현대건축은 유클리드 기하학과 형태에 집중하였던 기존의 근대건축에서 벗어나 1970년대 구조조의와 그에 따른 위상학적 연산으로의 사고와 함께 3차원의 공간에서 관계를 새롭게 하는 위상학적 유형을 만드는 구조주의적 건축으로 전환한다. 새로운 건축의 경향은 근대건축의 후기에 나타난 구조주의적 사고가 확장되면서 지금까지 제대로 반영되지 못했던 도시적 문제와 스케일을 반영하고 도시의 하부구조나 모나드의 연결과 네트워크의 중요성을 부각하면서 새로운 질서를 만들어 낸다. 이후 현대건축은 구조주의적 건축의 확장이 패러매트릭 디자인을 바탕으로 새로운 건축적 형태에 집중하게 되나 그에 대한 문제점이 나타난다.

이런 문제점의 해결을 위하여 현대건축은 불확정성 이론과 카오스 이론 등 자연현상을 설명하는 새로운 과학적 복잡계 이론이 나타난다. 이 이론은 완전한 질서나 무질서가 아닌 그 사이에 존재하는 비선형 상호작용에 의해 작동한다. 건축적 설계방법론은 이를 바탕으로 건축에서 단위 유닛의 반복과 그로 인한 복잡한 현상과 공간을 구현해 내는 결과를 가져온다.

또한, 주요 철학 분야의 하나인 현상학에서 후설(Edmund Hussel)과 하이데거(Martin Heidegger)는 거주와 장소의 중요성을 강조하면서 주변의 맥락과 자연과의 관계를 이용한 장소성과 정체성의 건축과 연관된다. 장소의 논의와 장소로서의 대지의 분석, 장소성, 자연현상, 건축과 자연의 결합, 대지로부터 유추된 감각적 현상의 내부와 외부공간의 연속적 체험 등 현상학은 건축에서 대지와 건축의 구축성을 포함하며 감각적인 공간 특성의 표현으로 나타난다.

이에 비하면 메를로 퐁티(Maurice Merleau Ponty)는 신체의 지각을 이용하여 움직임에 의한 체험과 자연현상을 이용한 공간의 분위기를 만드는 데 집중한다. 그 결과 빛과 그림자를 이용한 극적인 공간, 건축 재료를 이용한 분위기, 동선과 움직임에 따라 펼쳐지는 공간의 변화 등이 설계의 중요한 요소가 된다.

이러한 강한 건축 표현의 경향들은 2000년 이후 아이레스 마테우스(Aires Mateus), RCR Architectes, Fujimoto Sou 등에 의해 각 경향의 다양한 변화와 변주로 조합이 되면서 현대건축 형태생성 과정으로서의 유형학적 특성을 시각화하면서 새로운 건축의 표현이 나타난다.

현대건축의 분야와 특성 비교

	Stucturalism	Complexity Architecture	Phenomenology
Field	Topology	Complexity Theory	Phenomenology
Characteristics	Relationship	Unit Formation	Experience Natural Phenomenon
Space	Typology	Fractal Parametric	Perception Atmosphere
Architects	Rem Koolhaas MVRDV	Aires Mateus RCR Architectes Kuma Kengo	Steven Holl Tadao Ando Peter Zumthor

Site

Environment

대상지 맥락과 현황: 충북 괴산군 연풍면

대상지의 현황
대상지는 충청북도 괴산군 연풍면 원풍리이다. 지역지구는 계획관리지역, 관광·휴양개발진흥지구, 가축사육제한구역, 관광진흥법에 따른 관광지로 지정된 곳이다. 대상지의 대지 면적은 479m²이며 건폐율은 도시지역 외의 지역에 지정된 개발진흥지구의 경우 40퍼센트 이하, 용적률은 4층 이하의 범위에서 50퍼센트 이상 100퍼센트 이하이다. 대상지 주변은 괴산군의 연풍새재 일원 휴양관광지 종합개발 기본계획에 포함된다.

대상지 일대의 맥락
충청북도 괴산군은 2023년 예정된 중부내륙고속철도의 괴산역 개통으로 증가하는 여가수요에 대비해 2020년 수옥정관광지에 수변산책로와 수변생태공원을 조성했으며, 이를 기존시설과 연계해 연풍새재 제2의 전성기를 구상하고 있다. 2021년은 상반기에 수옥정관광지 수변산책로 2차 공사 준공을 통해 사업을 마무리하였고, 수옥정 모노레일 설치사업도 사전행정 절차를 하고 있다.

괴산 연풍 근린생활시설의 설계 구상안

근린생활시설 계획과 설계 과정

본 설계안은 우선 건축주의 요구사항과 대상지 및 주변 환경인 연풍새재 일원 종합개발계획을 바탕으로 법규검토를 시행하였다. 이후 위상학적 관통과 보이드를 이용하여 규모와 배치, 매스 스터디, 대안을 결정하였다. 빛, 건축재료, 다양한 동선으로 공간별 분위기를 설정하고 구현하였다. 위상학적 공간구성과 현상학적 건축 요소를 조합하여 최종적인 설계안을 구성하고 제시하였다.

Site Plan

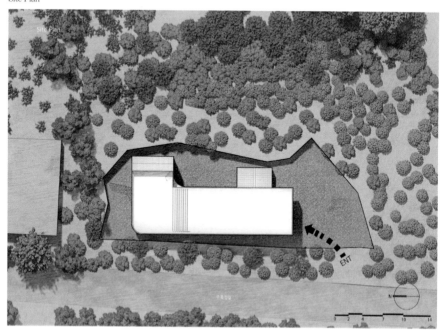

건축 설계 구상안의 계획 방향

건축설계안은 4가지 방향으로 공간구성을 계획하였다. 우선 남북 방향으로 2개의 중심축을 배치하여 위상학적 관통의 흐름을 생성, 단일 매스의 공간 내부에 단위유닛화하고 패턴화한 박공을 관입하여 복합적 공간구성을 하였다. 또한, 빛과 다양한 건축 재료를 사용하여 현상학적 분위기를 조성, 건물 내부 계단을 활용하고 바닥판의 높이를 분화한 동선을 형성하여 건물 내부에서 사용자가 느낄 수 있는 공간 경험의 다양화를 시도하였다. 상기 계획은 공간의 다변화 측면에서 후속적으로 사이트 내 매스의 배치, 프로그램의 조합, 동선에 대한 체계적인 계획의 수립을 요구한다.

건축 프로그램의 구성과 공간구성

공간구성은 1층 하층부와 2층 상층부로 나뉜다. 하층부는 공간 내에서 기본적으로 필요한 리셉션(Reception)과 서비스 프로그램(Toilet, Storage) 배치를 위한 면적의 확보와 사용자의 이동을 고려한 시나리오에 따른 주요 프로그램의 구성을 일차 목표로 하였다. 그 결과, 상기 평면도에서 나타나는 것처럼 서비스 시설은 주계단 하부의 공간을 적극적으로 활용하였으며, 해당 시설들로 인해 부족해진 1층의 앞을 공간(Hall)은 기능적인 동선으로서 작동하는 수직 동선과 결합하여 적극적으로 확보하였다. 그리고 교차하는 두 축선을 활용해 사이 공간을 형성하고, 이에 따라 입구, 대기, 복도 공간의 자연스러운 관입을 시도하였다. 위상학적 관통은 건축물 후면까지 연장하였으며, 해당 축선 상에 루버를 배치하여 Hall 프로그램과 동선으로 이용하는 복도 공간 사이의 분리를 시도하였다.

Plan

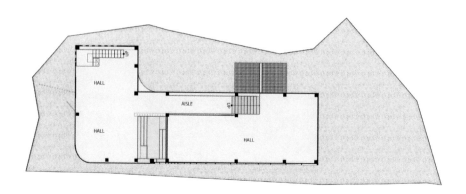

2F

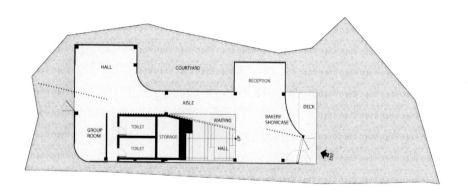

1F

상층부는 사용자를 위한 충분한 Hall 공간의 확보와 빛과 다양한 건축 재료를 이용한 공간의 분위기 조성을 구현하였다. 또한, 하층부의 넓은 계단 공간의 점유로 인하여 상층부의 일부 바닥면이 상승하여 자연스러운 수직적 층의 분화가 형성되었다. 해당 과정을 통해 본 계획은 주요 동선과 프로그램의 배치를 통해 동적으로 형성된 하층부와 넓은 공간의 형성을 통한 상층부의 정적인 구성이라는 대비적 효과를 표현하며, 전체 공간에서 바닥 높이의 차이를 통해 사용자 사이의 물리적 거리를 형성하여 공간 내부의 완급 조절이 가능하다

본 계획에서 시도한 층의 분화는 단면을 통해 더욱 명확하게 나타난다. 바닥판의 높이를 조절함으로써 사용자가 공간 내부를 어떻게 경험하고 이동할 것인지에 대한 구체적인 시나리오를 구성할 수 있으며, 이를 기반으로 공간 내부의 자연스러운 연속 동선 형성이 가능하다.

한편, 단면계획에서 건축 요소로 채택한 박공 형태의 단위 유닛이 공간 내부에 관입되고, 박공으로 인해 사용자가 이동하는 동안 공간 내부의 높이가 동적이며 연속적으로 변화하는 것을 확인할 수 있다. 이는 동일한 공간 속에서도 사용자가 위치에 따라 감각적으로 받아들이는 공간의 형태와 성격이 지속적으로 변화하는 요인으로 작동한다. 즉, 박공 유닛은 본 계획에서 단순히 디자인적 요소로 공간 내부에 관입 된 것이 아닌, 공간의 분위기 조성을 위한 수단으로 활용된다. 또한, 박공 형태의 반복적 사용은 요소의 건축 구조적 역할을 강조하고 건축물의 입면 형성 과정에서 단위 유닛의 반복되는 패턴으로 작동한다. 그 결과 본 계획에서 박공의 형태가 전체 입면에서 구조화를 넘어 도식화, 패턴화한 건축적 흔적으로서 나타난다. 그리고 패턴화로 인해 공간과 분리될 수밖에 없었던 입면의 형상이 내부 공간과 상호 소통하며 공간을 관통하는 하나의 통일된 건축 어휘로서 긴밀한 연결성을 획득하게 된다.

0 2 4 6 9 m

Elevation_South

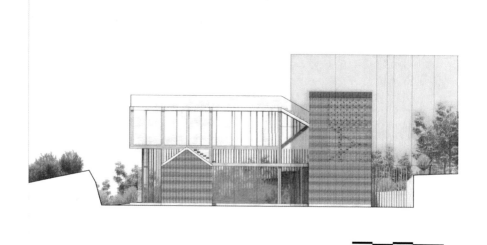

0 2 4 6 9 m

Elevation_East

Elevation_North

Elevation_West

An Architectural Design Proposal with Complex Spatial Composition through Combination of Topology, Complexity Theory, and Phenomenology
- Mixed-use Living Facility with Topological Penetration, Unit Formation, and Light Atmosphere -

This study is the architectural design proposal for mixed-use living facility with complex spatial composition which combines topology, complexity theory, and architectural phenomenology. The results of research are as followed. First of all, the topological penetration and void as central axis and exterior atrium are revealed in spatial composition of architectural design. Gable-shaped unit formation works as the structural system and the pattern in spatial configuration and elevation design. The second one is that phenomenological atmosphere formation with light and shadow, architectural materials such as brick and louver, and user experience through circulation with diverse vertical levels. The third one is that there is architectural design proposal which combines spatial composition with topological operation, unit formation, and phenomenological atmosphere although each one shows different aspect of spatial characteristics of architecture and can be compensated with each other. This architectural design proposal is the design case with complex spatial composition through combination of multiple theories and it can be a new form generation process in contemporary architecture.

참고문헌
1. 김종명, 김동진, 현대건축 형태생성 과정으로써의 유형학적 특성, 한국실내디자인학회논문집 23(5), pp.3-13, 2014
2. 신지영, 들뢰즈 차이의 위상학적 구조, 철학과 현상학 연구, 50, pp.109-142, 2011
3. 자크 뤼캉, 오늘의 건축을 규명하다(남성택 역), 시공문화사, 2019
4. 장용순, 현대 건축의 철학적 모험 1, 미메시스, 2010
5. 충북발전연구원, 연풍새재 휴양관광지 개발 기본 계획, 충청북도 괴산군, 2012

광주 주택 2023

한국 전통건축과 서양 현대건축의 위상학을
적용한 주거공간의 건축계획

- 솔리드/보이드, 엮기, 채 나눔의 위상학적 특
성을 연결한 단독주택 공간구성 -

설계안은 채 나눔과 중정의 공간으로 구성된 기존의 주택에 프로그램의 단위 유닛 구성과 위상학적 엮기 연산 방법을 이용하여 증축 주거공간을 형성하였다. 복잡계 건축과 위상학적 연산 그리고 한국전통건축의 위상학적 특성을 이용하는 형태생성 과정을 통하여 새로운 건축계획안을 제안하였다. 건축계획안의 건축 공간적 특성은 다음과 같다.

1. 본 건축계획의 기본적 특성은 기존주택을 유지한 상태로 증축공간은 주변환경과 맥락을 고려한 대지계획을 통해 기존보다 높은 인공대지 레벨에 위치하는 것이다. 전체 계획안의 배치는 사이트 특성과 위상학적 연산을 이용하여 기존주택과 증축주택의 관계를 설정한 복합적 주거공간으로 계획하였다.

2. 증축공간은 현대건축의 공간구성원리인 유닛 형성과 위상학적 솔리드/보이드, 엮기 연산을 이용하였다. 우선 건축주 요구사항을 마스터 중심

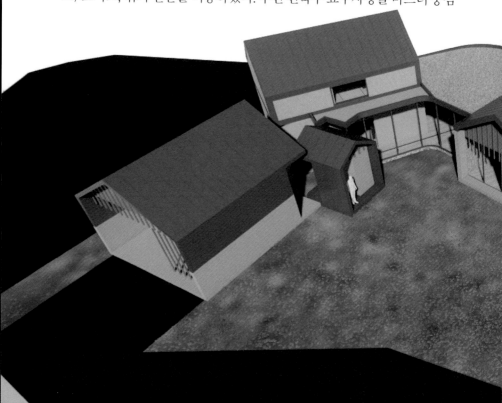

세대, 자녀세대, 주출입구, 주차공간 등으로 구분하여 쿨데삭 개념을 이용하여 조닝과 단위 유닛을 형성하였고, 거실과 주방 등 공용공간은 투명하고 개방된 공간으로 여러 유닛을 엮는 위상학적 엮기 연산을 이용하여 전체 공간을 통합하였다.

3. 기존 주거공간의 구성 원리인 한국전통건축의 채 나눔과 마당의 공간 구성 원리를 그대로 유지하면서 증축한 현대 주거공간까지 확장하였다. 전체 주거공간의 공간구성원리는 서양 현대건축의 위상학적 연산, 시각적 채 나눔, 그리고 한국전통건축의 물리적 채 나눔을 이용한 복합적 결과이다.

최근 현대건축은 위상학적 연산과 복잡계 건축의 공간구성과 특징을 이용하여 새롭고 다양한 유형의 건축 설계 방법론으로 발전하고 있다. 한국 주거공간의 경우 기존의 맥락에서 한국전통건축의 위상학적 특성도 복합적으로 공간화하는 사례가 요청된다. 상기 제안한 건축계획안은 서양 현대건축의 위상학 연산과 한국전통건축의 위상학적 원리를 이용한 복합화 사례로 이는 한국 사회의 기존 위상학적 현대건축 설계에서 나타나는 한계를 극복하고 다양한 건축 설계로의 가능성을 보여줄 것으로 예상한다.

연구의 목적

한국의 현대건축은 서양의 시대적, 사회적 요청과 도시 및 건축의 문제를 구조주의와 복잡계 이론을 이용한 위상학적 건축의 영향 아래 기존 한국전통건축의 공간구성 원리와는 별개로 분리하는 경향이 있다. 그 결과 현대건축의 설계안은 한국전통건축의 장점이나 특성을 수용하기보다는 배제하고 현대사회의 인문학적 이론을 근거로 형태화되었다.

그러나 한국 사회 속 유전되고 선호되는 생활 양식과 특성은 건축의 공간구성 등에 반영되고 발전하며 서양의 현대건축을 그대로 수용하지 않고 변화되면서 현재에 이른다. 이러한 특성은 다른 건축 프로그램보다 주거공간인 주택의 경우 더욱 명확하다. 이는 잠시 머무는 공공 건축이나 다른 공간보다 생활의 중심공간인 주거공간은 생활 양식의 반영이 크기 때문이다.

특히 최근 한국 주거공간은 기존 개발의 시대에 나타난 획일화된 공간과 공동주택의 생활에서 벗어나고자 하며 도시 외곽의 단독주택을 설계하는 경우가 증가하면서 주거공간에 대한 사용자의 다양한 요구와 프로그램에 따른 결과 다양한 공간구성과 새로운 설계방법론의 적용 가능성이 커졌다. 이러한 사회적 변화에 따라 최근 현대건축의 개념 중 새로운 공간 관계를 이용하는 위상학적 연산과 단위 유닛의 조합이라는 복잡계 건축을 이용하여 기존과 다른 유형의 공간을 선보이고 있다. 또한, 한국 사회는 기존의 한국전통건축의 철거와 신축에서 최근 보존과 활용으로 변하면서 기존공간과 새로 증축하는 생활공간의 관계를 고려하는 상황이 나타난다.

본 연구에서는 서양 현대건축의 설계방법론 중 하나인 단위 유닛을 이용한 복잡계 건축 및 솔리드/보이드, 엮기 등 위상학적 연산과 한국전통건축의 위상학적 공간구성방식인 채 나눔에 대한 이론적인 고찰과 함께 그에 따른 공간특성 분석을 바탕으로 기존 한국 단독주택의 증축을 위한 현대건축의 복합화된 공간구성과 건축계획을 포함한 구체적인 건축계획안을 제시함으로써 새로운 한국 현대건축 설계방법론의 가능성을 제공하고자 한다.

연구 방법과 절차

연구 방법은 첫 번째 단계로 현대건축의 설계방법론과 한국전통건축의 위상학적 특성에 대한 이론적인 배경과 건축 경향에 대한 특징들을 살펴보고 그와 관련된 문헌고찰을 진행한다. 이를 기반으로 현대건축의 위상학과 복잡계 이론을 이용한 건축계획 및 설계 방법을 설정한다.

이후 설계 방법을 적용할 건축 설계 대상지의 맥락과 주변 환경, 기존 주택과 증축 가능성, 건축주의 요구사항, 프로그램, 사용자 등 설계 조건을 분석하고 설계 대안을 제안한다.

세 번째 단계는 증축 부분의 프로그램 유닛 형성과 위상학적 연산 방법인 솔리드/보이드, 엮기 등 공간구성 방식과 함께 기존 주택과 주변 환경 맥락과 연계하여 관계를 형성하는 방식을 고려하여 최종 설계안을 제시한다.

마지막으로 최종 설계안에 따른 계획 방향과 설계 과정, 프로그램의 구성, 공간구성, 맥락과의 대응 관계 등을 검토한다. 검토한 자료들을 근거로 기존 현대건축에서 사용하는 설계 방법의 보완 및 가능성을 확인한다.

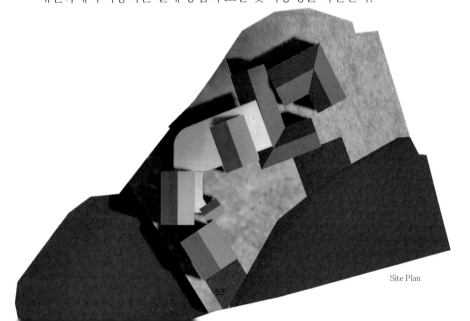

Site Plan

서양 현대건축의 위상학_단위 유닛과 솔리드/보이드, 엮기

현대사회는 1960-70년대 철학적, 사회학적, 언어학적 중심인 구조주의와 그에 따른 위상학적 연산으로의 사고로 변화한다. 현대건축은 현대사회의 혁신적인 시대적 전환과 함께 다양한 위상학적 유형을 만드는 후기구조주의 건축으로 전환한다.

위상학적 연산의 유형은 크게 공간의 관계를 새롭게 형성하는 관통(Penetration), 공간을 채움과 비움으로서 새로운 잠재성의 공간을 형성하는 솔리드(Solid)/보이드(Void), 그리고 경계의 연속성을 이용하여 종이접기와 같은 폴딩(Folding)과 인공대지 형성 등으로 나눌 수 있다. 관통, 솔리드/보이드, 접기, 포함의 연산이 하나 또는 두 건축물의 공간구성에서 나타나는 위상학적 연산이라면 다수의 매스와 유닛의 경우에는 다양한 방법으로 엮어 유닛의 조합을 이룬다. 이 경우 엮기(Weaving)에 의해 중앙축이 형성되고 축을 따라 다양한 방법의 조합이 발생한다. 그러므로 이 유형은 하나의 유닛의 공간구성이 아닌 유닛과 유닛의 관계와 그 사이 공간에 집중하게 된다.

서양 현대건축의 특성

	Western Contemporary Architecture
Typology	Penetration, Solid/Void, Folding, Weaving
Characteristics	Topological Relationship, Combination
Spatial Configuration	Spatial Connection, Solid/Void, Ambiguity
Architectural Design	Kunsthal, Educatorium, SNU MOA Gallery

한국 전통건축의 위상학_채 나눔

한국 전통건축에서는 시공간의 차이로 인하여 서양 현대건축에서 나타나는 공간의 구성 방법과 동일하게 정의하기는 어렵다. 그러나 건축공간의 구성은 서양건축과 유사한 부분이 나타나는데 한국전통건축은 많은 역사적 변천 과정에도 불구하고 지속적으로 동양의 사고방식을 이용하여 정의하고 구현한다.

그중 대표적인 위상학적 연산이 공간의 관통에 해당하는 통이다.[1] 이는 서양의 현대건축 위상학에서 나타나는 공간의 관통 연산과 유사하다. 또한, 한국전통건축 공간의 중심인 외부공간 마당은 비워짐으로 인해 많은 활동을 포함할 수 있는 보이드 공간이다. 한국전통건축은 건축물이 독립된 자율성의 건축이기보다 주변 맥락과 연결되는 관계가 나타난다. 이를 더욱 확장하여 전통건축은 자연 속에 자연을 거스르지 않는 범위 내에서 구현됨으로써 자연 친화적인 관계를 형성한다. 전통건축은 이러한 다양한 위상학을 통해 채 나눔이 형성된다.

한국 전통건축의 특성

	Korean Traditional Architecture
Typology	Tong(Penetration), Void
Characteristics	Chae-dividing(Mass Division), Madang
Spatial Configuration	Solid/Void, Connection
Architectural Design	Songcheom Head House(Seobaekdang), Gwangajeong

1)임석재, 2013, 지혜롭고 행복한 집 한옥-한옥의 과학과 미학. 인물과 사상사, pp.66-69.

Site

Environment

대상지 맥락과 현황: 경기도 광주시 남종면 태허정로

대상지의 현황
건축 설계 대상지는 경기도 광주시 남종면 태허정로이다. 국토의 계획 및
이용에 관한 법률에 따른 지역 지구는 도시지역, 제1종일반주거지역이
다. 대상지의 대지 면적은 1,093m²로 건폐율은 제1종일반주거지역 60%
이하이며, 용적률은 180% 이하이다.

대상지 일대의 맥락
대상지 일대는 광주시 대표적 자연경관이자 수공간인 팔당호와 북한강과
남한강의 합류 지점 주변에 위치한다. 주변에 팔당호와 용마산 등 자연녹
지로 둘러싸여 있다. 그 결과 최근 근린생활시설, 단독주택 등 새로운 문
화와 자연환경 속에서 이 지역만의 특색을 갖춘 곳이다.

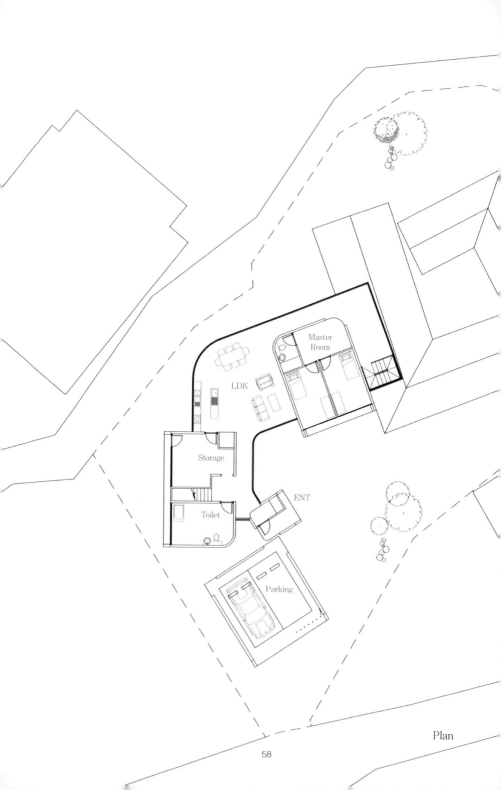

Master Room

LDK

Storage

Toilet

ENT

Parking

Plan

증축 단독주택 공간구성_쿨데삭(Cul-de-sac) 개념[2] 과 단위 유닛 만들기

본 계획안은 대상지와 주변 환경의 특수성과 건축주가 요청한 프로그램을 위한 대상지 분석과 법규검토를 시행하였다. 분석 결과를 토대로 건축계획안은 기존주택을 유지하면서 추가로 증축을 결정하고 기존주택 공간구성과 연계하여 위상학적 공간구성을 설정하였다.

증축 부분의 프로그램 설정하는데 건축주 요구사항 실들을 세대별, 기능별로 마스터 중심세대 공간, 자녀세대 공간, 주출입구 공간, 주차공간 공간 등으로 나누고 모두 네 부분의 단위 유닛을 구성하였다. 유닛 공간은 독립적이면서도 서로 적절한 관계와 소통이 요청되는 사항을 주택단지 설계 개념 중 하나인 쿨데삭 개념을 차용하여 각 공간의 독립적인 배치와 구성을 시도하였다.

주차장과 주출입구 유닛의 배치는 주택 주출입구와 자동차 동선을 기준으로 결정하였고 마스터 유닛은 프라이버시와 중심공간의 상징성을 부여하여 대상지 전체 공간의 중심에 배치하고 중층인 자녀세대 유닛은 독립성과 마스터 공간과의 관계를 고려하여 증축공간의 주요 단위 유닛 배치를 확정하였다 마스터 중심세대, 자녀세대, 주출입구, 주차공간 등으로 구분하여 쿨데삭 개념을 이용하여 조닝과 단위 유닛을 형성하였고, 거실과 주방 등 공용공간은 투명하고 개방된 공간으로 여러 유닛을 엮는 위상학적 엮기 연산을 이용하여 전체 공간을 통합하였다.

---

2) https://www.law.go.kr. 국가법령정보센터. 블록형 단독주택용지 유형별 평면도. 쿨데삭은 주로 주택단지에 설치되는 도로의 유형으로, 단지 내 도로를 막다른 길로 조성하고 끝부분에 차량이 회전하여 나갈 수 있도록 회차공간을 만들어주는 기법을 말한다.

증축공간 단위 유닛의 연결_위상학적 엮기

증축 계획안의 주요 단위 유닛 공간은 기능적이며 구성원의 프라이버시를 위한 공간이며, 이와는 다르게 사용자가 공용으로 이용하는 LDK(Living, Dining, Kitchen) 공간은 중심세대 유닛과 2세대 유닛을 연결할 수 있는 곳으로 설정한다. LDK 공간은 별도의 독립된 단위 유닛으로 설정하지 않고 대신 개방적이고 투명하며 다양한 행위가 이루어지는 공간으로 단위 유닛 사이에 위치한다. 그 결과 솔리드한 단위 유닛 공간과 차별화하는 투명한 보이드적 성격의 공용공간이 형성된다. 공용공간인 보이드는 여러 개의 솔리드 유닛을 연결하여 새로운 관계를 형성하는 위상학적 엮기 방식이라고 할 수 있다. 즉 쿨데삭 개념의 단위 유닛을 형성하고 각 유닛을 위상학적 엮기를 이용하여 결합하면서 생기는 공간을 공용공간 프로그램으로 이용하는 건축 계획적 전략이다.

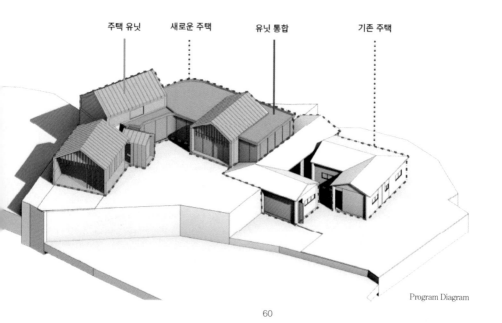

주택 유닛　　새로운 주택　　유닛 통합　　기존 주택

Program Diagram

다이어그램에서 상부 레벨은 증축 부분으로 녹색은 솔리드한 독립 유닛이며 붉은색은 유닛을 통합하는 보이드의 공용공간이다. 하부레벨은 기존주택으로 흰색의 두 매스로 구성되며 증축 부분과 수직적으로 연결된다.

증축 계획안의 공간구성은 네 부분의 단위 유닛과 이를 둘러싸는 투명한 공용공간으로 구성하는데 각 유닛의 배치에 따라 외부공간에서 인지되는 입면은 시각적으로 독립된 여러 개의 유닛이 마치 한국전통건축의 배치와 유사하게 나타난다. 즉 증축 부분의 형태 형성 및 공간구성 원리는 서양 현대건축의 복잡계 건축의 특성인 독립된 유닛의 반복과 위상학적 연산을 이용하지만 그 결과는 시각적으로 한국전통건축의 공간구성 원리인 채 나눔과 유사하며 이 원리는 기존 주택과 새로운 증축 부분과의 관계 설정으로까지 확장하게 된다.

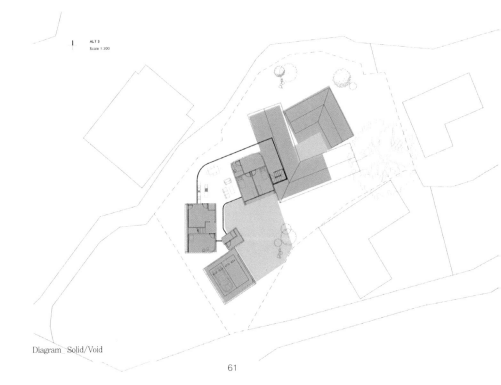

Diagram   Solid/Void

Bird's Eye View

Atmosphere

기존주택 맥락과의 관계_채 나눔과 마당

증축 공간구성과 배치는 그 자체로 독립적이며 자율성을 가지지만 주변환경과의 맥락과 기존 주택과의 다양한 관계를 고려하여 설정하였다. 증축 계획안은 단일 매스이나 솔리드한 단위 유닛과 투명한 공용공간의 엮기로 인하여 전체적으로는 전통건축의 물리적 채 나눔과 유사한 공간의 시각적 채 나눔을 적용하였다. 증축 부분 옆에 위치하는 기존 생활 한옥은 증축 부분보다 수직적 레벨이 한 단계 낮으며 ㄱ자형 안채와 ㄴ자형 바깥채가 마주 보는 튼 ㅁ자형 구조의 채 나눔으로 배치되어 있다. 이와 같은 공간구성의 특성을 이용하여 기존주택과 증축주택의 관계를 한국전통건축의 채 나눔이라는 공간구성 원리를 이용하여 전체 주택의 배치를 재조정하고 완성하였다.

기존 한국의 주거공간 계획안은 전통건축을 유지하면서 현대적인 증축 주거공간을 계획하는데 나타나는 시대적 건축 원리의 차이에 따른 공간구성과 형태 형성 과정과 결과의 부조화가 나타나는 경향이 있다. 이 연구는 서양 현대건축의 설계 원리인 복잡계 건축의 단위 유닛과 위상학적 연산과 한국전통건축의 채 나눔이라는 공간구성의 원리를 결합하여 복합적인 공간구성을 자연스럽게 연결하면서 건축적 시각화를 구현하고자 하였다. 특히 채 나눔의 경우 전통건축의 물리적 채 나눔과 함께 시각적 채 나눔의 현상학적 특성을 현대건축에 적용하였다. 그 결과 건축 요소와 건축재료, 그리고 서로 다른 시대적 양식적 시각적 차이에도 불구하고 기존공간과 증축공간의 결합은 공간구성의 보이지 않는 원리와 복합적 연결 방식을 통한 공간의 연속성이 시각적으로 확장된 결과라고 할 수 있다.

Elevation_North

An Architectural Planning of Living Space with Application of Topological Operation in Korean Traditional Architecture and Western Contemporary Architecture
– Single Family Housing Design with Connection of Topological Characteristics of Solid/Void, Weaving, and Chae-dividing –

This is the architectural planning proposal for single family house with complex spatial composition and formal generation which combines unit formation and topological operations in western contemporary architecture and chae-dividing in Korean traditional architecture. The spatial characteristics of architectural planning are as followed. First of all, there is complex architectural planning which combines spatial composition of 4 zonings –master area, 2nd generation area, main entrance, parking garage– and unit formation with cul-de-sac concept for extension area. The second one is that topological solod/void and weaving for combination of 4 units with transparent LDK public space in the extension architectural mass formation and it can be similar with chae-dividing in Korean traditional architecture. The third one is that the master site plan for existing and extension area is designed through spatial composition with physical and visual chae-dividing, different vertical levels of site, and outdoor landscape continuity. The result of planning can be a possibility for the complex spatial composition through combination of diverse topological operations of contemporary and traditional architecture in Korea.

참고문헌
1. 김종명, 김동진. 현대건축 형태생성 과정으로써의 유형학적 특성. 한국실내디자인학회논문집 23(5). 2014
2. 배강원, 김문덕. 한국전통건축 공간에 나타난 위상기하학적 특성에 관한 연구. 한국실내디자인학회논문집 13(6). 2004
3. 임창복. 한국의 주택, 그 유형과 변천사. 돌베개. 2011
4. 정태종. 현대건축의 공간구성에서 위상기하학적 특성에 따른 연산 유형 분류에 관한 연구. 대한건축학회 학술발표대회 논문집 42(1). 2022
5. 채 나눔, 그 불편함의 미학. https://brunch.co.kr/@ hyerie/297

퍼블릭 쉘터 2021

All in One Umbrella
_Tolerance & Largeness

Program Diagram

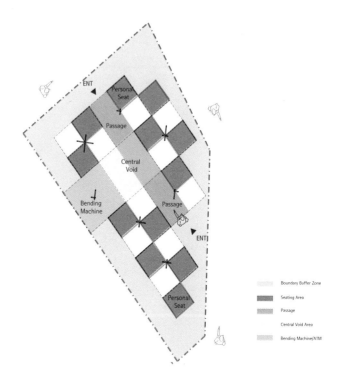

- Boundary Buffer Zone
- Seating Area
- Passage
- Central Void Area
- Bending Machine/ATM

Activity Diagram

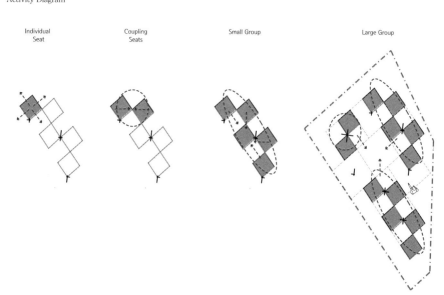

Individual
Seat

Coupling
Seats

Small Group

Large Group

Design Process

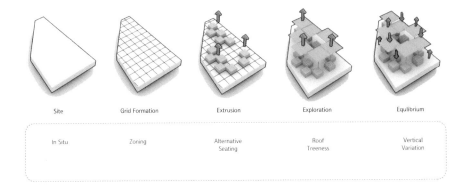

Site	Grid Formation	Extrusion	Exploration	Equlibrium
In Situ	Zoning	Alternative Seating	Roof Treeness	Vertical Variation

Plan

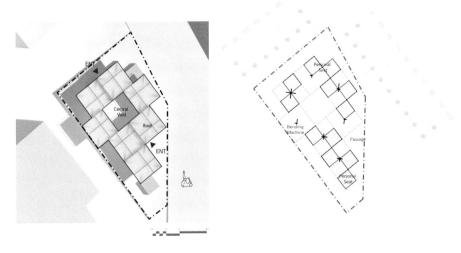

Elevation

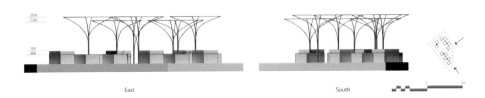

East

South

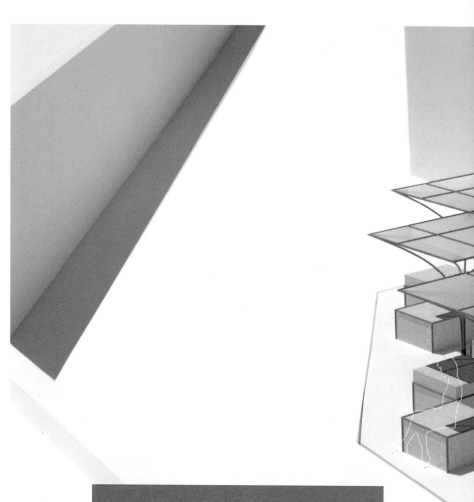

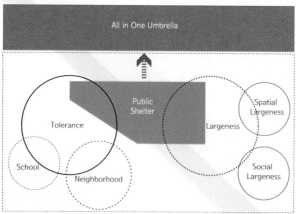

All in One Umbrella

Public
Shelter

Tolerance

Largeness

Spatial
Largeness

Social
Largeness

School

Neighborhood

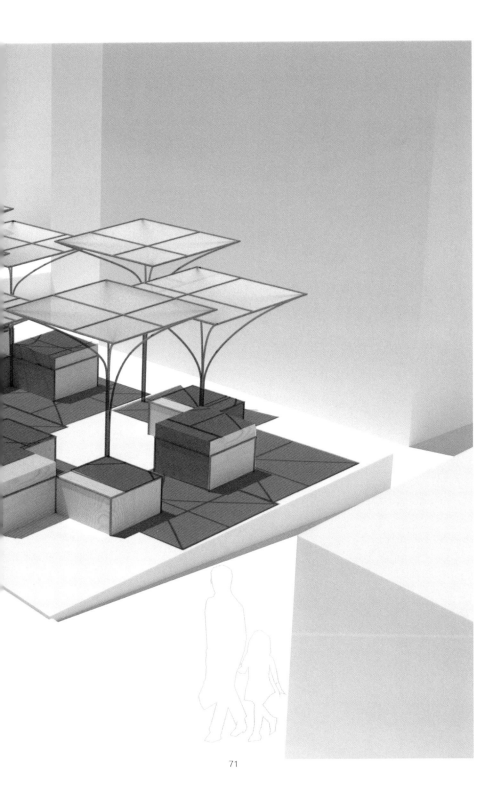

잠수교 복합문화공간 2023*

도시재생을 통한 한강 잠수교의 보행자 전용
문화공간 설계안

- 3차원 그리드 유닛의 파라메트릭적 구성을
기반으로 -

단위 유닛에 기반한 잠수교 문화공간의 조성은 기존 도시 기반시설의 재생을 통한 인간 친화적인 공공공간과 문화 가로의 조성 가능성을 품고 있다. 특히, 본 설계안의 핵심 디자인 요소인 3차원 그리드 유닛을 사용한 설계방법론은 기존 메가스트럭처의 비인간적인 스케일을 인간친화적으로 변화시킬 수 있는 주요한 수단이자 다기능적으로 역할하며 일률적인 공간 속에 다양성을 부여하는 잠재성을 보여준다.

설계 대상지인 잠수교는 교량이라는 구조 특성상 강력한 직선축에 반복적인 구조물이 배치된 형태이다. 본 연구는 내부의 공간적 제안으로 공간구성의 다양화, 기존 그리드시스템의 역할적 변화, 프로그램의 복합화, 해당 공간 내부에 3차원 그리드 유닛을 파라메트릭적으로 연속 배치하여, 다양한 동선과 프로그램에 기반한 문화 가로의 조성 가능성을 제안한다.

연구의 배경과 목적

도시를 구성하는 다양한 기반시설은 시대 흐름과 필요의 유무에 따라 새롭게 등장하고 소멸하는 경향을 보인다. 근대건축은 도시 발전 과정에서 표준화와 합리화라는 근간 아래 기능적으로 필요로 하는 다양한 인프라를 구축했으며, 수많은 메가스트럭처 형성에 큰 영향을 주었다. 그러나, 이러한 과정에서 생성된 다수의 시설과 인프라들은 도시 속에서 인간성이 소실되는 등 많은 문제점을 야기했다.

최근 국내·외 도시 정책은 과거 근대건축이 가진 구조적 문제점을 해결하고자 다양한 도시재생 및 공공디자인 프로젝트를 통해 도심 속 유휴 공간을 인간 친화적으로 복원하고 시민에게 돌려보내는 방향으로 추진되고 있다. 이러한 도시재생 정책은 현대건축과 접목하여, 기존 근대건축이 구축한 도시의 다양한 인프라 및 메가스트럭처를 제거하는 대신, 형상과 공간을 유지하며 그 안에 새로운 가치와 의미를 부여하는 방향으로 전개되고 있다.

서울시 한강에 위치한 다수의 교량 시설들은 도시의 교통편의 증진 및 통행 필요성에 따라 기능적으로 배치된 토목과 교통 메가스트럭처의 일부라 할 수 있다. 1km가 넘는 교량 시설은 차량 또는 교통 인프라의 통행 기능을 고려하여 제안되었으며, 그 속에서 일반 보행자에 대한 고려는 찾아보기 힘들었다. 한편, 2006년대 한강 수변 공간을 포함하여 교량 시설에서 보행자의 활동을 증진해야 한다는 의견이 제시되었으며, 반포대교 하부의 잠수교 일대는 보행자 친화적인 환경으로 재생하는 사업이 진행되었다.

본 설계안은 도시 정책의 새로운 시대적 흐름과 경향에 따라 반포대교 하단의 잠수교 일대를 대상지로 선정하여 도시재생과 현대건축의 설계방법론을 접목하고자 한다. 이를 통해 근대건축의 합리성과 도시 발전 원리에 기반하여 형성되었던 기존 도심 속 메가스트럭처 공간을 재생한 시민 친화적인 시설의 구축과 내부에 새로운 문화공간이 조성되는 가능성을 제공하고자 한다.

연구방법과 절차

본 연구는 첫 번째 단계로 설계 대상지인 한강수변공원 일대 및 반포대교, 잠수교에 대한 맥락과 주변 환경, 시설 등에 대한 조사를 진행한다. 이를 기반으로 대상지 내에서 조성이 필요한 프로그램 및 공간구성 방향성을 설정한다.

이후, 도시재생 및 새로운 공간 조성을 위한 3차원 그리드 유닛 기반 설계 방법론을 제시하며, 단일 유닛의 형태와 유닛 상호간의 결합에 따른 다양한 공간구성의 대안을 제안한다.

마지막으로, 실제적으로 대상지 내에 유닛 결합 방식을 적용한 다양한 공간의 구성을 확인하고 유닛 기반설계가 메가스트럭처 공간 속에서 시스템적으로 작동하는지 여부를 확인하고, 기능적 전환에 따른 새로운 공간구성을 위한 설계방법론의 유효성을 파악한다.

설계 대상지 분석 및 건축개념적 제안

잠수교의 역사와 역할적 의의
 서울특별시 한강 반포대교 하부의 잠수교는 1976년 강남과 강북 지역의 연결을 위해 건설되었다. 잠수교는 최초 건설 당시, 왕복 4차선으로 계획된 다리였으며, 지속적인 강남 개발에 따른 교통량의 증가로 인해 잠수교 상부에 추가적으로 반포대교를 신설했다. 이후, 2008년부터 잠수교의 보행자 친화 교량 조성 의견이 제안되었으며,반포권역 특화사업 및 분수설치 계획으로 리노베이션이 진행되었다. 해당 사업에서 잠수교는 자전거 전용 도로와 보행자 전용도로가 조성되었다. 잠수교의 전체 1km 구간 중 강남 반포 지역은 한강 수변 공원 및 새빛섬 일대와 연결되며 높은 보행 활성도를 보인다. 그러나, 잠수교의 강북 방향으로 진행하면 보행자는 급격히 감소하고 있으며, 강북 구간은 보행 활성도가 낮은 것으로 나타난다.

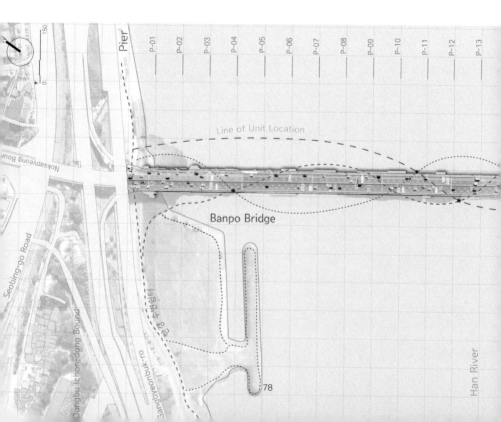

설계 대상지 공간적 제안

1) 공간구성의 다양화

잠수교는 교량의 특성상, 강력한 직선축을 따라 단일한 대공간으로 구성된다. 새로운 시설을 조성하기 위해서 일반적인 공간구성 방식에서 벗어나 선택 동선의 삽입, 시각적 연결, 공간 사이의 네트워크망 형성, 소형 공간 사이의 파편화 등을 활용한다.

2) 기존 그리드 시스템 역할의 변화

잠수교에서는 넓은 대공간의 구획과 동시에, 파편화된 공간을 엮어야 하므로 기존 그리드 시스템에 파라메트릭적 구성을 결합하여 3차원 그리드 시스템을 구축하고, 해당 시스템을 기반으로 잠수교 내의 각종 공간을 구획하고 연결하고자 한다.

3) 프로그램의 복합화

현대건축은 사회 구성의 다양화-다각화, 직업 및 역할 분담에 따른 공간 프로그램의 세부적인 분화 현상을 공간화한다. 이를 바탕으로, 본 설계안 내부에는 다양한 프로그램 기반의 문화시설이 구축되며, 상호 다른 프로그램 사이의 융화가 발생하여 새로운 문화공간을 창출하는 시작점으로서 작용한다.

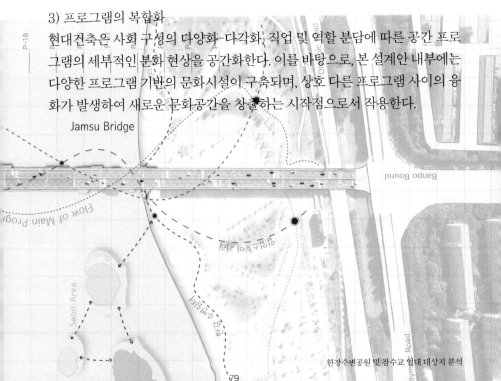

한강수변공원 및 잠수교 일대 대상지 분석

문화 가로 조성을 위한 프로그램적 제안

대상지 주변의 도시환경적 맥락을 반영하여, 잠수교 내부의 프로그램은 기존 잠수교의 기능적 역할을 유지하며, 단일 시설 속에서 다양한 공간적 경험을 선사하는 것에 목적을 두었다. 기존에 존재하던 다양한 문화적 프로그램은 잠수교의 보행 기반 환경과 결합하여 새로운 공공공간과 문화공간을 조성하는 프로그램적 기반이 된다. 이는 동선 시스템에 공간적 경험과 문화적 체험이 내포됨을 의미하며, 문화 가로를 조성하는 건축적 맥락으로 역할한다.

문화가로의 구체적인 프로그램으로는 카페, 극장, 뮤지엄, 도서관, 전망대, 캠프장, 갤러리, 콘서트, 무대 등 다양한 문화 활동의 복합공간으로 구성한다.

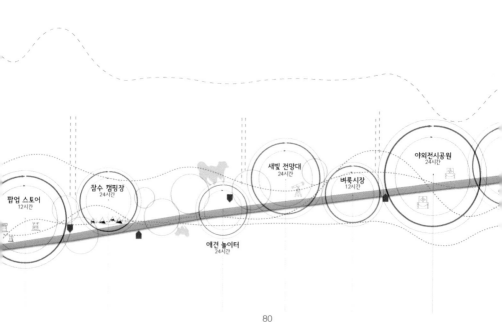

Cafe	Observatory
	Campsite
Theater	Gallery
Museum	Concert
Library	Cafe
Cafe	Stage

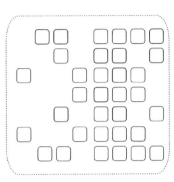

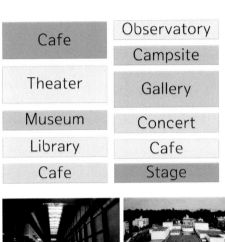

강제동선

시각적 연결

네트워크

파편화

잠수교 일대 공간적 제안

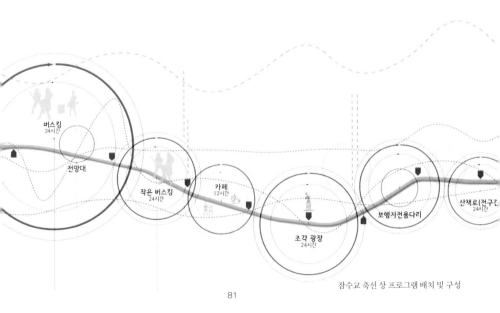

버스킹
24시간

전망대

작은 버스킹
24시간

카페
12시간

조각 광장
24시간

보행자전용다리

산책로(전구간)
24시간

잠수교 축선 상 프로그램 배치 및 구성

81

잠수교 일대 보행친화적 문화공간 조성 설계 계획안

3차원 그리드 유닛 기반 설계방법론

일반적인 그리드 시스템은 평면 상에 X, Y 2개 축으로 구성된다. 본 설계안은 2D로 구성되는 그리드 시스템에 Z축을 추가하여 3D의 형태로 그리드를 구성한다. 해당 그리드 시스템을 2D의 유닛의 형태로 구현하며 평면 구성의 기본적인 원리가 구축되며, 3D의 유닛 형태로 구현하며 전체 공간구성의 원리를 형성하게 된다. 축선의 원점 설정은 코너 한쪽에 모든 축선이 모이는 형태, 중심에 원점이 존재하는 형태를 파악했으며, 그 결과 유닛과 유닛의 결합 및 형태적 통일성을 위해서는 중심을 설정하고 모든 축선이 동일하게 교차하는 방식이 3D 유닛의 형성에 더 적절하다고 판단되었다.

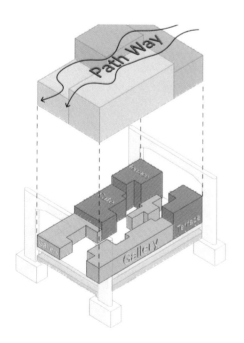 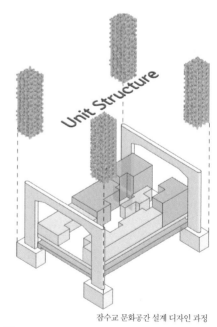

잠수교 문화공간 설계 디자인 과정

형태가 구축된 3차원 그리드 유닛은 상호간의 연결을 통해 새로운 공간 구축의 시스템으로 사용된다. 유닛의 결합 형태에 따라 유닛의 조합은 벽, 바닥, 지붕 등의 새로운 공간을 구성하게 된다. 특히, 유닛의 연결 수량을 조절하여 공간 내부의 볼륨에 영향을 줄 수 있으며, 이는 유닛으로 채워진 공간은 솔리드(Solid), 비워진 공간은 보이드(Void)로 인식되게 한다. 이러한 3차원 그리드 유닛의 반복적 배치는 메가스트럭처의 비인간적인 스케일을 인간친화적으로 조정하기 위한 수단으로 활용 가능하며, 새로운 공간감을 형성하는 과정에서 핵심적인 역할을 수행한다.

3차원 그리드 유닛의 상호 연결에 복잡계 이론의 파라메트릭 시스템을 활용할 경우, 3개의 공간 축선을 밀도있게 사용하여 복합적인 공간을 구성할 수 있다. 이는 3차원 그리드 유닛으로 조합된 공간에는 벽과 바닥, 천장 등의 건축적 요소들을 혼재할 수 있으며, 하나의 건축적 요소가 다기능적으로 활용될 수 있음을 의미한다. 유닛이 서로 연결되어 구축되는 3차원의 내부 공간은 평면, 입면, 단면의 시각적 구성이 유사하게 나타나며, 공간 내부에 존재하는 사람들에게 새로운 공감각적 경험을 제공한다.

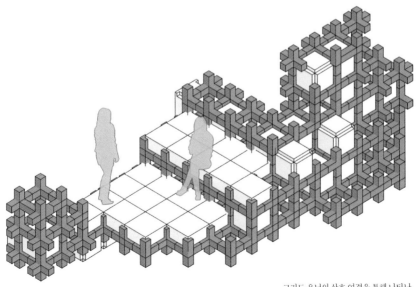

그리드 유닛의 상호 연결을 통해 나타난
새로운 복합적 공간의 구성 예시

설계 디자인 과정

일련의 대상지 분석 및 공간적, 프로그램적 제안과 설계방법론의 제안을 종합하여 전체적인 설계 디자인의 조성 과정을 정리하면 4가지 단계로 정리 가능하다.

첫 단계는 기존 잠수교의 구조적 현황을 분석하며 그 결과 교량의 폭 21,000mm / 교각 사이 너비 30,000mm / 높이 8,400mm이다. 해당 현황을 기반으로 3차원 그리드 유닛의 적정 규격을 설정한다.

이후, 교각 사이 공간마다 문화시설의 조성을 위해 필요한 다양한 프로그램을 배치한다. 각 프로그램들은 교각 내에서 위치적으로 독립되어 존재하나, 물리적-시각적으로 상호 긴밀히 연결되도록 구성한다. 특히, 프로그램의 배치는 강남 구간부터 강북 구간까지 단일 축선 상에서 반복성이 배제되어, 보행자의 통행에 따라 지속적인 변화를 경험할 수 있도록 조성한다.

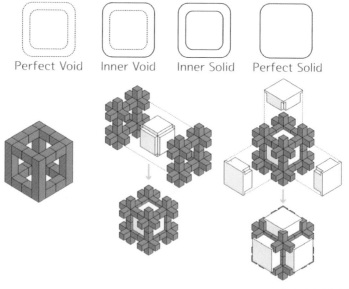

그리드 유닛의 형성 과정

공간 내 프로그램의 배치후, 사용자 동선 설정 및 이를 반영한 전체적인 공간의 볼륨을 결정한다. 특히, 동선은 사용자의 수평 이동만이 아닌, 수직 이동 또한 고려하며, 레벨 변화에 따른 시각적-공간적 경험의 변화를 포함한다. 사용자의 이동은 단일 동선에 의해 강제되는 것이 아닌, 다수의 선택동선을 배치하여 교량이라는 직진 축선 상에서 다양한 선택적 통행 가능성을 포함한다.

3차원 그리드 유닛은 배치된 동선과 프로그램의 구현을 위해 시스템적으로 작동한다. 유닛의 배치 과정에서 밀도의 조절을 통해 공간의 세분화 및 동선의 분할이 결정되며, 다양한 벽, 기둥, 바닥의 레벨차 등을 구현한다. 이외에도 조합된 유닛의 사용을 통해 잠수교 내부의 구조를 보완하고, 새롭게 관입된 유닛 조합의 하중을 분담한다.

Serial Sections

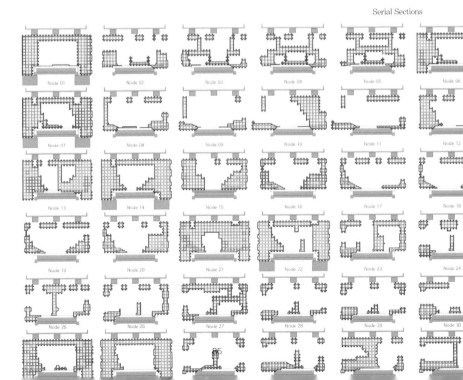

유닛 기반 대상지 공간구성 및 설계 구체화

3차원 그리드 유닛에 기반한 잠수교 내 문화공간의 구축은 유닛의 밀도에 의해 많은 영향을 받게 된다. 공간 내 유닛의 비우고 채우는 정도에 의해 공간 내부의 활용도와 사용 용도가 결정되며, 유닛의 배치 형태에 따라 전체적인 동선의 흐름이 결정되었다. 특히, 유닛을 연속적으로 배치하는 과정에서 유닛의 밀도와 배치 형태에 의해 하나의 유닛이 단면에서 다양한 위치에 따라 서로 다른 기능들을 수행하고 있음을 확인할 수 있다.

잠수교 문화공간 부분 평면

조각광장

유닛의 파라메트릭적 연속 배치는 평면에서도 조합 형태와 밀도에 의해 다기능적으로 작동하고 있음을 확인 가능하며, 4가지의 주요 역할로 서술된다.

1) 공간 분할
유닛의 연속적인 수직 배치는 메가스트럭처의 대공간을 기능과 프로그램, 동선에 따라 다양한 공간들로 분할하고 있으며, 위치에 따른 다양한 공간적 경험을 제공한다.

2) 구조적 보강
3개의 축선을 가진 유닛의 밀도 있는 배치는 유닛 그 자체가 구조체로서 기능하도록하며, 기존 잠수교의 메가스트럭처를 보강하고, 새롭게 추가되는 유닛들의 무게를 분담하고 있다.

3) 공간 확장
유닛의 반복적인 배치는 기존 잠수교의 공간적 한계에서 벗어나 확장된 공간의 구현이 가능하도록 한다. 잠수교 폭에서 더욱 돌출된 전망대 시설 및 수직적으로 레벨이 다양한 공간을 구성한다.

4) 경계 형성
유닛의 배치를 통해 프로그램 공간과 동선 사이의 경계를 형성한다. 이를 통해 문화적 경험에 온전히 집중하는 공간과 일반적인 동선과 같은 기능적 공간 사이에 경계를 형성하여 사용자의 행태에 따른 구분이 가능하도록 한다.

An Architectural Design of Pedestrian Cultural Space through Urban Regeneration of Jamsu Bridge on The Han River
– Based on The Parametric Configuration of Three-Dimensional Grid Unit –

This study aims to integrate urban renewal and contemporary architectural design methodologies on the Jamsoo bridge based on the new temporal trends and tendencies in urban policies. Through this proposal, we seek to provide the potential for the regeneration of the existing urban megastructure spaces rooted in the rationality of modern architecture and principles of urban development. This study proposes spatial diversification through interior spatial arrangements, a functional transformation of the existing grid system, and the integration of multiple programs. Parametrically arranged 3D grid units were implemented within the space, realizing the potential for creating a cultural corridor based on various circulation paths and programs. Our goal is to construct citizen-friendly facilities and create new cultural spaces within.

참고문헌
1. 제17회 한국문화공간건축학회 차세대문화공간공모전 작품집, 한국문화공간건축학회, 2022
2. 반포[잠수]대교 정밀안전진단용역 보고서, 잠수교, 서울특별시 남부도로사업소, 2012
3. 조현호, 제17회 차세대문화공간공모전, 한국문화공간건축학회, 2022

서울시 빈집 프로젝트 2023*

단위 유닛과 보로노이 시스템의 결합을 통한
빈집 재생 설계안

- 단위 유닛의 다기능성과 보로노이 시스템의
공간 분할을 기반으로 -

서울시는 거주 인구의 감소와 주거 문화의 변화로 인해 각 지역에서 지속적으로 빈집이 발생하는 현상을 보이고 있다. 빈집은 장기간 방치할 경우 지역 내에서 다양한 환경적 문제를 야기하며, 시간의 경과에 따라 확산되어 주변 지역에 추가적인 빈집을 발생시키는 현상을 유발한다. 본 설계안은 이러한 빈집 시설을 단위 유닛과 보로노이 시스템에 기반한 건축적 방법론을 인용하여 열린 공간, 개방된 주민 공유 시설로 전환하는 방안을 제안한다. 이를 위한 대상지는 서울시 도봉구의 단독주택 밀집 지역에 위치한 빈집 시설이다.

본 설계안에서 단위 유닛은 기하학적 원뿔을 기반으로 구조와 형태가 일치하는 구성을 갖춘다. 이러한 각 유닛은 공간을 분할하는 기둥 구조체로 기능하며, 동시에 각 영역을 덮는 지붕으로 작동하고 있다. 한편, 보로노이 개념은 설정된 총 9곳의 지점을 중심으로 공간을 나누고, 단위 유닛을 유기적으로 배치하여 개별 공간의 영역성을 형성한다.

단위 유닛과 보로노이 개념에 기반한 건축적 방법론이 적용된 빈집 재생 설계안은 폐쇄적인 빈집의 구조를 개방공간으로 전환하며, 다수의 틈새 공간 및 열린 공간을 구현하고 있으며, 기존 빈집을 분할한 각 영역들은 여러 갈래의 선택 동선으로 소통하고, 다양한 공간성을 부여하고 있다. 공간 사이에는 모호한 경계성이 작동하며 내외부가 원활히 소통하는 반외부적 공간의 가능성을 포함하고 있다.

연구의 배경과 목적

도심 지역 내에서 빈집이 장기간 관리되지 못하고 방치될 경우, 거주 지역 전반에 걸쳐 다양한 사회적 문제를 발생시킬 수 있다. 장기간 방치되는 빈집 공간은 우범 지역으로 변화할 수 있으며, 빈집과 인접한 주변 지역까지 부정적인 영향을 미칠 수 있다. 또한, 빈집의 발생은 주변 거주지 내에서 다른 빈집을 추가적으로 발생시킬 수 있는 높은 전염성을 내포하고 있다. 이와 같은 빈집의 부정적인 영향을 고려하였을 때, 최초 빈집이 발생한 이후 단기간 내 해당 공간을 재생할 수 있는 건축적 방안이 요청된다.

서울시는 2010년대 이후 직주분리현상과 함께 지속적인 도심 지역 내 주거 인구의 감소 현상 및 아파트와 오피스텔 형식의 주거 비율이 증가하는 사회적 현상에 따라 기존 단독주택 지역 내에서 다수의 빈집이 발생하고 있다. 서울시에서 강북 지역의 빈집 발생 비중이 타 지역에 비해서 높은 것으로 확인되며, 해당 지역의 빈집은 최소 3년 이상의 시간이 경과한 것으로 나타났다.

본 설계안은 도심 지역 내에서 발생하는 빈집 문제를 해결하기 위해, 서울시 도봉구에 소재한 빈집 공간을 대상지로 설정하고 공간재생을 위한 건축적 방법론을 제안하고자 한다.

연구방법과 절차

본 연구는 첫 번째 단계로, 설계 대상지인 서울특별시 도봉구 단독주택 밀집 지역의 주변 환경, 공공시설 유무, 녹지 환경 분포 등에 대한 조사를 진행한다.

이후, 발생한 빈집의 공간을 재생하기 위한 건축적 방법론을 탐구한다. 본 연구에서 제안하는 건축 개념은 단위 유닛 생성, 보로노이 원리 기반 시스템 구축. 공간 내부 동선 계획 및 프로그램 배치 등 3가지로 분류한다. 이를 바탕으로, 실제 대상지에 적합한 단위 유닛을 형성하고, 보로노이 시스템을 통해 공간의 분할 및 유닛 상호 결합에 기반한 통합 구조체를 구축한다. 해당 구조체를 공간재생 프로세스에 기반하여 대상지 상에 배치하고, 전체적인 내외부 공간을 조성 및 정리한다.

마지막으로, 본 설계안이 제안하는 단위 유닛 및 보로노이 시스템에 기반한 건축적 방법론이 기존 빈집 공간을 재생하는 설계 방안으로서 적합한 공간적 효과가 존재하는지 여부를 확인한다.

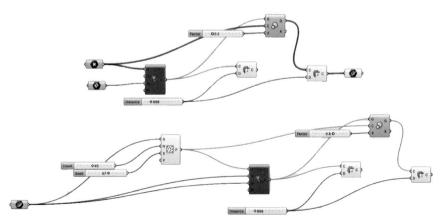

Voronoi System Formation with
Parametric Design, Grasshopper Algorithm

도심 내 빈집 분석 및 건축개념 제안

도심 지역 내 빈집 발생 문제
서울시는 도심 지역 내 주거 인구의 지속적인 감소와 아파트 및 오피스텔
유형으로 주거 형태가 변화하면서 기존 단독-다가구주택이 밀집한 주거
지역에서 장기간 집이 비어있는 빈집이 발생하는 문제가 발생한다.

도심 속에서 중장기적으로 방치되는 빈집은 도시 내 거주 지역의 미적 가
치를 훼손한다. 빈집이 장기간 관리되지 못할 경우 우범지역으로 변화할
가능성이 존재하기에 도시 차원에서 적극적으로 해결해야 하는 문제에 해
당한다. 특히, 빈집의 발생은 인접 지역에 부정적인 영향을 미치는 환경적
문제로 심화될 가능성이 있으며, 주거지역 내에서 다른 빈집을 추가적으
로 발생시킬 수 있는 사회적 전염성을 내재하고 있다. 즉, 빈집이 발생할
경우, 해당 시설을 장기간 방치하는 것은 주거지역 전체에 부정적인 영향
을 미칠 가능성이 높으며, 해당 공간을 재생하고 활용할 수 있는 적극적인
방안의 모색이 필요하다.

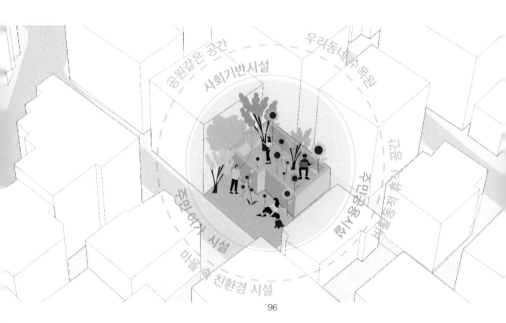

설계 대상지 선정 및 분석
본 설계안은 서울시에 존재하는 다수의 빈집 중, 도봉구 쌍문동에 위치한 빈집을 대상으로 건축적 방법론을 통한 빈집 재생과 새로운 활용 방안을 제안한다.

쌍문동 460-51 대상지 일대는 서울 내 전형적인 주거지 밀집 구역으로 주민들이 사용 가능한 공용 시설이 부족하며, 여가 활동이 이루어지는 개방적인 공간이 부족하다. 대상지 주위는 산으로 둘러싸여 녹지의 비율이 높아 보이나, 실제 주민들이 활용할 수 있는 공원 및 녹지 시설은 존재하지 않으며 소수의 공용 시설은 인근 주민들의 접근성이 떨어진다. 이외 노인정과 같은 주민 커뮤니티 시설의 비율 또한 전체 주거지의 면적에 비해 부족한 것으로 확인된다.

Site & Environment

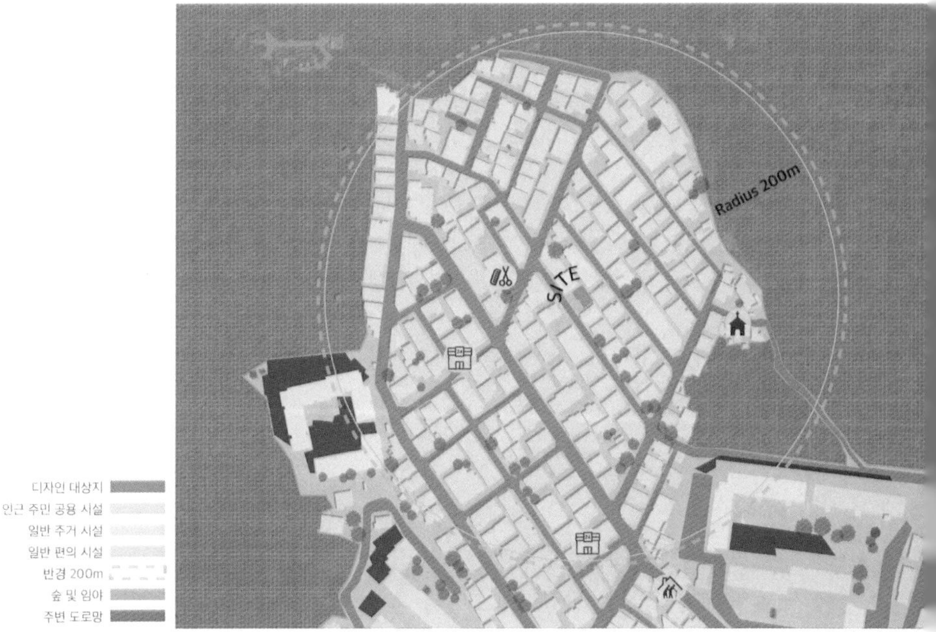

Radius 200m
SITE
디자인 대상지
인근 주민 공용 시설
일반 주거 시설
일반 편의 시설
반경 200m
숲 및 임야
주변 도로망

빈집 재생을 위한 건축적 개념 제안

빈집 재생을 위해 본 설계안에서 제안하는 건축적 방법론은 총 3가지 단계로 구성된다.

1) 기하학적 형태에 기반한 단위 유닛 생성
단위 유닛은 여러 기하학적인 형상 중 상호 결합 과정에서 다양한 틈새 공간, 사이 공간을 발생시킬 가능성이 있는 형태를 이용한다. 본 설계안은 원뿔 형태의 기하학적 형태에 기반하여 단위 유닛의 기본적인 형상을 생성한다. 원뿔에 기반한 단위 유닛의 반복적인 배치는 유닛 사이마다 다수의 틈새 공간을 형성하며, 이러한 사이 공간들은 기존의 물리적 경계를 완화하고 공간상에 모호한 경계성을 부여할 수 있다.

2) 보로노이 개념을 활용한 공간 분할과 유닛 배치
약 170㎡ 전후의 단독주택 필지의 규모를 고려하였을 때, 한정된 평면에서 단위 유닛을 공간의 손실 없이 효율적으로 배치할 방안의 필요성이 존재한다.

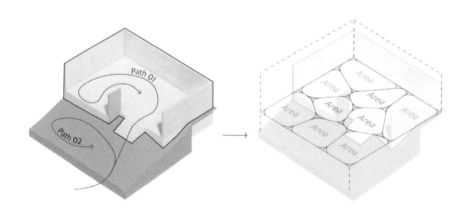

이를 위해 새로운 체계의 단위 유닛 배치 방식을 고려했는데, 지점과 지점 사이의 최소 거리를 계산하여 공간을 분할하고 형성하는 보로노이 시스템은 공간에 배치되는 단위 유닛의 개수 및 크기, 상호 거리를 조정할 수 있는 체계적인 시스템으로 작동한다. 본 설계안은 보로노이 개념에 기반한 파라메트릭 시스템을 통해 한정된 공간에 단위 유닛의 집합이 형태를 생성하며 그 과정에서 내부의 단위 유닛은 유기적으로 배치되어 사용자들이 개별성을 가지고 점유할 수 있는 복합적인 공간을 형성한다.

3) 열린 동선 계획과 복합적 프로그램 배치

일방적 동선 계획의 문제점을 극복하기 위해 전방에 위치한 도로망과 적극적으로 소통하는 개방된 동선을 계획하는데 이는 각 활동 영역을 다양한 방향에서 접근할 수 있는 열린 동선으로 전환하여 단일 시설 내에서 개별성을 갖춘 활동 영역이 보장되는 복합적인 공간을 조성한다. 대상지 내에 배치하는 SOC 시설은 동선 계획에 기반하여 한정된 활동에 국한되지 않고, 주민들의 생활과 연계한 다양한 활동이 가능한 공간이다. 해당 용도 계획은 소수의 인원이 점유하는 공간이 아닌, 다수의 사람들이 동시에 유입되어 내외부의 공간을 복합적으로 사용할 가능성을 가진다.

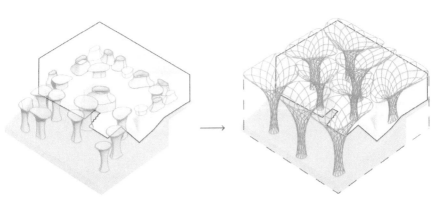

Design Concept

디자인 프로세스

단위 유닛 형성
원기둥에 기반하여 대상지의 공간 규모에서 개별 단위 유닛이 구현될 수 있
는 최소-최대 규모를 산정한다. 원기둥을 원뿔로 치환하여 기본 매스를 생
성하며, 원뿔의 모선을 곡선화하여 단위 유닛의 기본 형태를 구현한다.

단위 유닛의 매스 형상에 기반하여 구조 형태를 다이아그리드로 분할 구축
하고, 입체적인 매스 볼륨의 각 부분을 개별 면으로 분할한다. 이를 통해 구
조와 형태가 일치하여 기능하는 단위 유닛의 전체 형태를 결정한다.

보로노이 기반 단위 유닛 결합 및 구성
보로노이 시스템은 그래스호퍼의 알고리즘을 활용하여 구성한다. 공간
속에 각 지점을 설정하고, 개별 지점마다 점유 가능한 최소-최대 면적을
지정하여 보로노이 알고리즘을 통해 공간 내 각 영역을 분할 하도록 구
성한다.

본 설계안은 공간의 규모 및 용도를 고려하여 총 9곳의 기초 지점을 정한
다. 각 지점간 거리는 최소 2.5m 이상 간격을 두었으며, 지점을 중심으로
점유되는 개별 영역의 공간은 최소 15㎡, 최대 30㎡의 면적 조건을 충족
하도록 설정한다. 상기 조건에 기반하여 보로노이 시스템은 대상지를 총
9개의 공간으로 분할하며, 나누어진 개별 공간마다 단위 유닛을 위치시킨
다. 개별 영역마다 배치하는 단위 유닛은 보로노이 시스템에 의해 분할된
각 공간의 형상을 덮도록 형태를 소폭 조정하고 상호 결합한다.

보로노이 시스템에 의해 조성된 통합 구조물은 9개의 개별 단위 유닛이
결합하여 구축된 형태로, 해당 구조물은 단위 유닛의 원뿔형 기초 형상 및
다이아그리드 구조체에 의해 자립 가능한 특성이 존재하며, 기둥과 천장
이 일체화되어 대상지의 각 영역을 분할하는 동시에 통합하게 된다.

공간 재생 프로세스 및 실제 구조물 배치

기존 대상지에 존재하는 단독주택 필지의 전면부 담장을 해체하며, 주택 건물의 지붕 및 벽체 등 구조물 일부를 철거한다. 기존 구조물의 해체는 자기 완결성이 강했던 주택 건물의 성격을 약화시키고, 개방된 대지 환경에 다양한 내외부 진출입 동선 계획 및 용도 계획을 가능하게 한다. 본 설계안은 기존 마당 공간과 주택 공간에 주요 동선을 설정하고 용도 계획에 따라 세부 동선을 설정한다.

각 영역에 따른 용도 계획에 기반하여 대상지 내 공간을 분할하는데, 공간의 분할 및 배치는 보로노이 시스템을 활용하며, 총 3가지 용도의 9개 구역으로 지점 설정 및 구획한다. 분할된 각 공간별로 단위 유닛을 배치, 결합하고 생성된 단위 유닛 통합 구조물을 대상지 위에 배치한다.

전체 공간 조성 및 효과

단위 유닛 및 보로노이 시스템에 의해 구축된 전체 공간 계획과 통합 구조물 배치 결과는 3차원 공간구성을 통해 구체화된다. 개별 지점의 설정에 따라 분할된 9개의 영역은 보로노이 시스템에 의해 단위 유닛이 결합한 통합 구조물의 형태에서 확인할 수 있다.

기존에 폐쇄적이었던 빈집 주택 공간은 전면의 길목과 입체적으로 소통하는 가능성을 보이고 있으며, 대상지 내부의 공간은 영역 사이에 명확한 경계가 존재하지 않는 열린 공간으로 재생되었다. 재생된 빈집 내부의 공간은 단위 유닛 사이의 틈새 공간, 개방된 열린 공간, 다양한 용도로 활용 가능성이 내재된 공간으로 기능할 것이다.

단위 유닛과 보로노이 시스템을 활용한 빈집 재생 방법론의 효과는 4가지 방향으로 도출된다.

1) 단위 유닛의 다기능성
단위 유닛은 원뿔이 기본 형태이며, 모선을 곡선화하여 전체 형상을 결정했다. 대지 위에서 각 단위 유닛은 그 자체가 공간을 형성하는 기둥으로 기능하며, 동시에 하늘을 덮는 지붕으로서 작동하는 다기능성을 보이고 있다.

Unit Formation

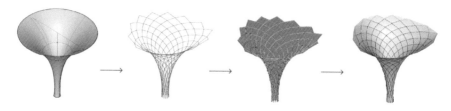

Space Distribution with Voronoi Principle

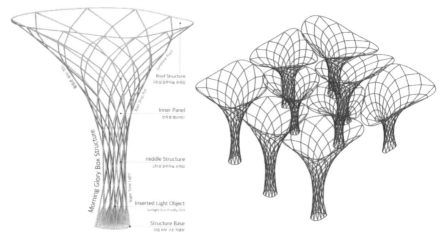

2) 보로노이 원리를 이용한 공간 분할 계획
보로노이 시스템은 공간 속에 각 지점을 설정하여 영역을 분할하고 단위 유닛을 유기적으로 결합 및 배치한다. 본 설계안은 전체 규모를 고려하여 총 9곳의 공간으로 분할 구획하였으며, 이에 기반하여 구현된 전체 구조물의 형상에서 각 단위 유닛은 균등한 개별 공간을 담당한다.

3) 모호한 경계성
단위 유닛과 보로노이 시스템을 활용하여 재생된 빈집 공간은 기존의 단독주택에서 관찰된 명확한 경계성을 해체한다. 각 단위 유닛 사이에는 다양한 동선과 틈새 공간들이 조성되며, 해당 공간들은 대상지 외부와 내부 사이의 경계선을 지우며 모호한 경계성을 형성하고 있다.

4) 주민 활용 공용 공간과 도시 보이드 조성
반외부적 성격의 빈집 재생 공간은 주거지 밀집 지역에 부족했던 주민 공용 공간으로 기능한다. 내외부가 상호 소통하는 공간에서 주민들은 다양한 여가 활동을 향유할 수 있으며, 함께 조성하는 공유 공간으로서 작동한다.

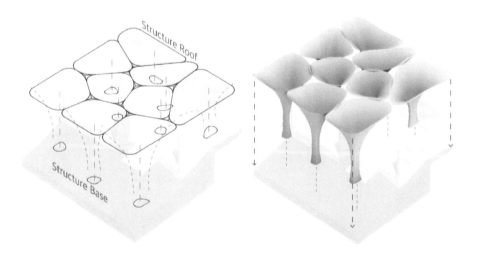

Bird's Eye View

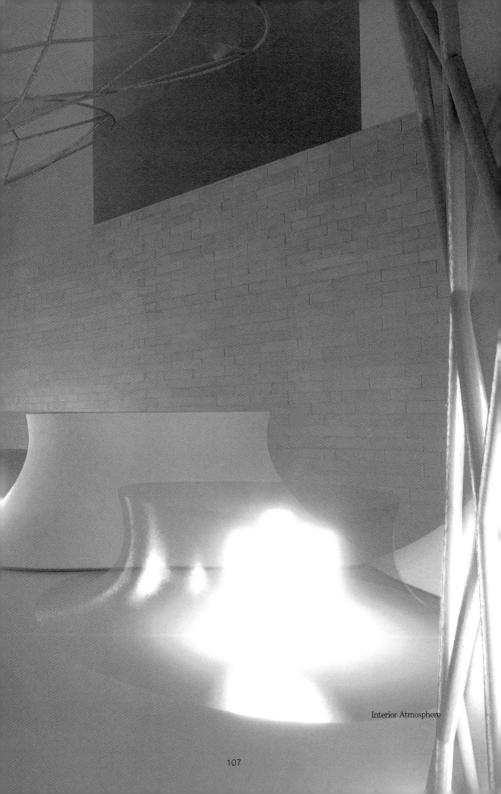

Interior Atmosphere

An Architectural Design of Regenerating Empty House through the Integration of Unit Creation and the Voronoi System
– Based on the Multifunctionality of Unit Creation and Spatial Division through Voronoi System –

This study aims to address the issue of empty houses in urban areas, focusing on a target site located in Dobong-gu, Seoul. It proposes an architectural methodology for spatial regeneration. The architectural concept suggested in this research is categorized into three main areas: 'Unit Creation,' 'Construction of Voronoi System,' and 'Internal Circulation and Program Layout Planning.' Based on these, the proposal seeks to form suitable units for the actual site and construct an integrated structure through the division of space and the interconnection of units via the Voronoi system. This structure is then positioned on the site according to a spatial regeneration process, organizing and arranging the overall internal and external spaces. Finally, the proposal evaluates whether the architectural methodology based on the proposed unit creation and Voronoi system offers a viable solution for regenerating existing empty houses, examining its spatial effectiveness.

참고문헌
1. 김민경, 심경미, 이경재, 쇠퇴지역 공간관리를 위한 빈집 정책 개선방안, 연구보고서(기본) 1-201, 2021
2. 조현호, 박혜지, 2023년 빈집활용아이디어 시민공모전 디자인부문, 서울특별시, 2023

창경궁 대온실 리모델링 2023*

장식의 재추출을 통한 유닛 형성과 자기조직
화를 이용한 공간구성

Unit Formation

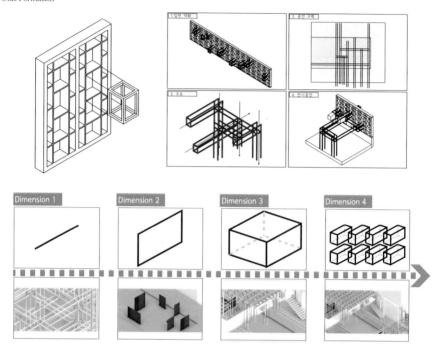

Exploded Diagram

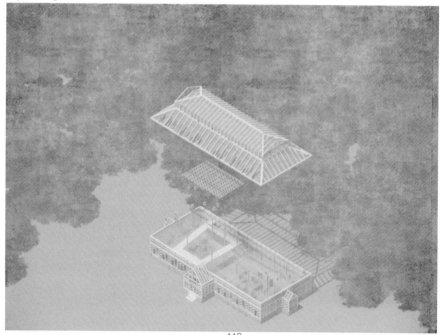

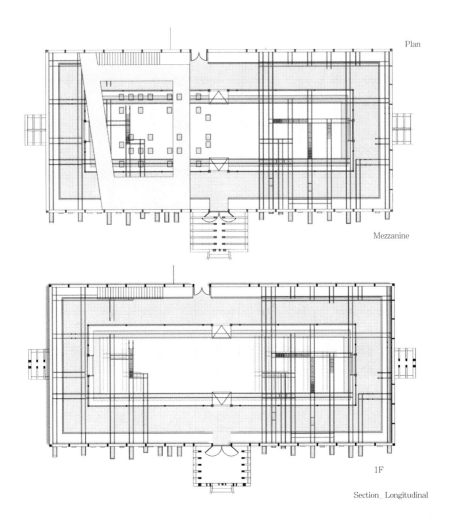

Plan

Mezzanine

1F

Section_ Longitudinal

03. 위상학 - 관통, 폴딩

아산 근생 2022

위상학적 연산 방식의 조합을 적용한 복합 공간의
건축 설계 제안

- 위상학적 관통, 보이드, 폴딩, 대지건축을 이용한
공간구성의 근린생활시설 -

연구의 목적

현대건축은 기존 근대건축의 산업화와 표준화, 그리고 인간 중심의 현상학적 지각의 문제점을 극복하고 새로운 시대적, 사회적 요청과 도시 및 건축의 문제를 구조주의와 새로운 공간구성의 관계로 해결하고자 하였다. 그 결과 현대건축의 설계안은 관계성을 바탕으로 하는 인문학적 이론을 근거로 다양한 유형으로 형태화되었다. 구조주의와 위상학적 기하학의 가장 중요한 공간구성의 특성은 유클리드 기하학을 기준으로 형태 형성을 진행하였던 기존의 건축과 다르게 3차원의 공간 내 위치와 관계의 설정이다. 그 결과 구조주의 이론을 바탕으로 새로운 공간 관계의 다양한 유형을 만들고 그에 따른 건축 공간구성과 위상학적 연산의 활용은 이후 현대 건축설계의 가장 중요한 배경이 되었다. 현대건축의 공간구성 위상학적 유형은 공간의 관계를 바꾸는 관통(Penetration), 두 공간 간의 관계인 솔리드(Solid)와 보이드(Void), 건축 요소 간 경계의 연속성을 형성하는 폴딩(Folding)과 인공대지를 형성하는 대지건축(Landscape Architecture)이 대표적이다. 이러한 위상학적 연산은 3차원의 공간에서 새로운 관계성을 제시하면서 다양한 유형을 제시한다. 관통은 새로운 관계를, 폴딩은 건축 요소의 연속성을, 솔리드와 보이드는 두 공간의 관계성을 활용하여 새로운 현상과 공간을 구현해 내는 건축적 설계방법론으로 전환하였다. 그러나 기존의 위상학적 연산을 이용한 건축 설계는 여러 가지 연산의 조합에 따른 복합적인 공간보다는 유형의 전형성에 우선하는 경향을 나타낸다.

본 연구에서는 현대건축의 설계방법론의 위상학적 연산의 건축적 표현에 대한 이론적인 고찰과 함께 각 유형에 따른 형태 형성과 공간 특성 분석을 시행하고 그 결과를 이용하여 현대건축의 복합화된 공간구성과 건축계획을 포함한 구체적인 건축설계안을 제시함으로써 새로운 건축 설계 방법론의 가능성을 제공하고자 한다.

연구 방법과 절차

연구 방법은 첫 번째 단계로 현대건축의 설계방법론에 대한 이론적인 배경과 위상학적 건축 경향에 대한 특징들을 살펴보고 그와 관련된 자료 문헌을 살펴본다. 이를 기반으로 구조주의와 위상학을 이용한 건축 설계 방법의 건축 요소를 설정한다.

이후 위상학적 설계방법을 적용할 건축 설계 대상지의 맥락과 주변 환경, 건축주의 요구사항, 프로그램, 사용자 등 설계 조건을 분석하고 설계 대안을 제안한다.

세 번째 단계는 위상학적 연산 방법인 관통, 보이드, 폴딩, 대지건축 등 공간구성과 연계하여 구체적인 관계를 형성하고 그에 따른 적절한 설계안을 제시한다.

마지막으로 최종 설계안에 따른 계획방향과 설계 과정, 프로그램의 구성, 공간구성, 맥락과의 대응 관계 등을 검토한다. 검토한 자료들을 근거로 기존 현대건축에서 사용하는 설계방법의 보완 및 가능성을 확인한다.

구조주의와 위상학에 대한 문헌고찰

현대건축의 구조주의와 위상학적 연산

현대사회는 유클리드 기하학과 형태에 집중하였던 기존의 근대에서 벗어나 1960-70년대 철학적, 사회학적, 언어학적 중심인 구조주의와 그에 따른 위상학적 연산으로의 사고로 진화한다. 현대건축은 현대사회의 혁신적인 시대적 전환과 함께 3차원의 공간에서 관계를 새롭게 하는 다양한 위상학적 유형을 만드는 구조주의적 건축으로 전환한다.

이후 현대건축은 구조주의적 건축이 컴퓨터를 이용한 디자인을 바탕으로 위상학적 다양성과 새로운 건축적 유형을 생성하게 된다. 이 과정에서 발생하는 형태와 새로운 유형의 개발에 따른 문제점을 해결하기 위하여 현대건축은 도시의 특성과 새로운 수학과 과학 이론을 이용한다. 이 이론은 기하학적인 형태의 차이가 아니라 공간의 관계 에 따라 작동한다. 새로운 건축적 설계방법론은 이를 바탕으로 건축에서 건축 요소 간 관계 변화와 그로 인한 복잡한 현상과 공간을 구현해 내는 결과를 가져온다.

위상학은 역사적으로 레온하르트 오일러가 도형을 그 정확한 크기 등을 무시하고 형태만을 개략적으로 나타낸 쾨니히스베르크 다리 건너기 문제로 시작하였다. 이후 19C 후반부터 20C 초반에 이르러, 펠릭스 클라인, 앙리 푸앵카레로 이어지며 대수적 위상수학의 기본개념인 호모토피(Homotopy), 호몰로지(Homology)에 대한 개념이 정립되면서 본격적으로 도형의 연속적인 성질을 연구하게 된다.[3]

3)전보광, 기하학의 꿈, 3차원 기하 위상 수학, 2020
https://horizon.kias.re.kr/13014/

위상학적 연산과 건축적 적용

위상학은 공간 속의 점·선·면 및 위치 등에 관하여 양이나 크기와는 다르게 형상이나 위치 관계로 분류한다. 즉, 선을 끊거나, 면을 자르거나, 구멍의 개수를 변화시키는 방법을 제외한 변형을 같은 모양으로 취급한다. 결국 종이 위에 그린 원, 삼각형, 사각형은 유클리드 기하학에서는 전혀 다른 형태이지만 위상학에서는 동일한 관계로 이해한다.

위상학적 연산의 유형은 크게 공간의 관계를 새롭게 형성하는 관통(Penetration), 공간을 비움으로서 새로운 잠재성의 공간을 형성하는 보이드(Void), 그리고 경계의 연속성을 이용하여 종이접기와 같은 폴딩(Folding)과 인공대지 형성 등으로 나눌 수 있다. 이러한 건축의 경향은 근대건축의 후기에 나타난 팀텐의 새로운 사고가 확장되면서 지금까지 해결하지 못했던 다양한 건축의 문제를 반영하고 도시의 하부구조나 네트워크의 중요성을 부각하면서 현대건축을 만들어 낸다.

대상지 맥락과 현황: 충남 아산시 기산동 신정호길

대상지의 현황
건축 설계 대상지는 충청남도 아산시 기산동 신정호길이다. 국토의 계획
및 이용에 관한 법률에 따른 지역지구는 도시지역, 보전녹지지역이다. 또
한, 토지이용규제 기본법 시행령에 중점경관관리구역이다. 대상지의 대
지 면적은 5,472m2으로 건폐율은 보전녹지지역 20% 이하이며, 용적률
은 80% 이하이다.

대상지 일대의 맥락
대상지 일대는 아산시 대표적 자연경관인 신정호와 신정호 국민관광지에
위치한다. 주변에 신정호와 치학산 등 자연환경으로 둘러싸여 있다. 그 결
과 최근 베이커리 카페 등 새로운 문화와 자연환경 속에서 도시지역과는
다른 이 지역만의 특색을 갖춘 곳이다.

Site

아산시 신정호길 근린생활시설의 설계 구상안

근린생활시설 계획과 설계 과정

본 설계안은 대상지와 주변 환경의 특수성과 건축주가 요청한 프로그램을 위한 사이트 분석과 법규검토를 시행하였다. 분석 결과를 토대로 주변 환경과 연결한 시각적 뷰의 확장성과 대형 근생시설 및 문화 공간 프로그램과 연동하여 그에 적합한 위상학적 공간구성을 설정하였다. 적정 규모와 배치, 매스 스터디, 대안을 관통, 보이드, 폴딩, 대지건축 등 다양한 위상학적 연산을 이용하여 결정하였다. 매스와 배치를 이용하여 마당과 중정 등 내, 외부 보이드 부분을 설정하고 건축물 간, 건축물 내부 관통의 물리적, 프로그램적 공간구성을 진행하였다. 경사지의 특수성을 이용하여 인공대지로 주차장과 연속성을 부여하면서 두 건축물의 하부 슬라브를 폴딩으로 연결하여 하부에서 상부까지 자연스럽게 다양한 위상학적 연산으로 공간구성을 유지하였다.

Site Plan

건축 설계 구상안의 단계별 계획

본 설계안에서는 첫 단계로 경사지의 대지 계획과 매스 배치를 주차장과 연계해서 공간구성 축을 설정하였다. 주도로에서 대상지로 접근하면서 경사로를 따라 자연스럽게 건축물 내부로 진입하게 된다. 주차장은 경사가 낮은 전면부에서는 외부와 연결되며 후면부는 건축물 내부 지하공간에 위치한다. 주차장 상부는 일부분 대지의 외부공간과 함께 인공대지를 형성하여 자연과 인공 조경을 결합한 새로운 외부공간을 형성하였다.

이후, 주공간과 부공간의 두 개의 매스를 배치하는데 이는 기존 전면부에 위치한 카페와의 공간과 프로그램적 연속성을 고려한 결과이다. 그 결과 기존과 새로운 건축물의 크고 작은 3개의 매스가 공간적, 프로그램적으로 긴밀하게 연결되는 것이 요청되었다. 신축되는 매스의 하층부 슬라브를 양쪽으로 확장하고 위상학적 폴딩을 이용하여 두 개의 매스를 하나로 연속된 공간으로 만들고 슬라브의 방향을 기존의 건축물과 확장하여 지각적으로 연속되게 하였다. 매스 배치가 확정된 후 두 개의 매스간 사이 공간을 보이드인 마당과 중정에서 후면의 주변 환경을 연결하는 물리적 관통과 유리와 루버 등 투명성의 건축재료를 이용하여 각 매스 내부를 연결하는 프로그램적 관통을 구현하였다.

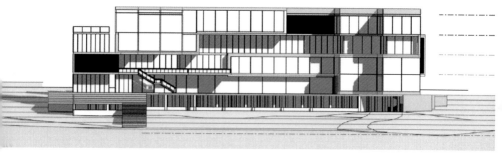

Elevation

Plan

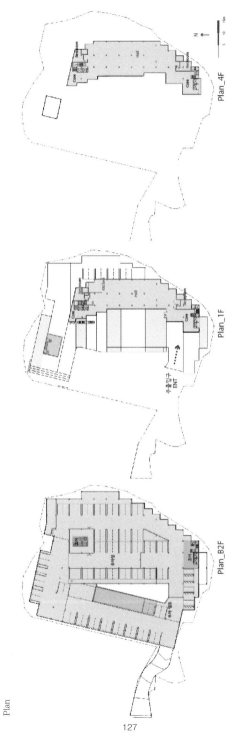

Plan_4F

Plan_1F

Plan_B2F

건축 프로그램의 구성과 공간구성

건축 프로그램은 지하주차장과 지상의 근린생활시설로 구성된다. 사이트와 프로그램의 특성상 사용자가 자동차를 이용하는 것을 기준으로 하여 대형 지하 주차장을 계획하였다. 사이트의 형태를 극대화하여 사용하기 위하여 주차장을 배치하였고 두 개의 축 사이를 수직적 램프와 함께 인공폭포 등 수공간을 배치하였다. 이 공간을 통해 기능적이면서도 외부의 채광, 환기, 수공간 등 자연 요소를 적극적으로 이용할 수 있게 되었다. 주차장에는 2개의 코어를 배치하여 수직적 동선을 제공하고 상부에서는 화장실 등 서비스 공간과 연결하였다. 지상부의 건축물 매스는 두 개로 구성되는데 대형 매스를 단위 유닛으로 공간 배치의 변화를 주어 매스 크기 차이를 완화하면서 다양한 입면을 형성하였다.

물리적-프로그램적 관통 개념은 두 개의 매스 간 사이공간의 전후 물리적 관통과 각 매스의 공간에서 각 실을 유닛화 하고 각 유닛 내부공간은 전면부와 후면부를 연결한 하나의 프로그램으로 사용함으로서 프로그램적 관통으로 나뉜다. 각 매스의 유닛들은 유리와 루버를 이용한 투명성으로 위상학적 관통을 더욱 극대화한다. 또한, 입면에서 각 실의 유닛이 입체적으로 위치하여 슬라브의 길이에 따라 빛과 그림자가 다양하게 나타나서 더욱 극적인 공간의 변화를 시각화하게 구성하였다. 대지의 전방부에 위치한 보이드에서 시작한 공간은 하부의 인공대지와 인공대지 상부의 연속된 슬라브의 폴딩을 지나서 상부에서 투명하고 관통된 공간을 통해 사이트 전면부 신정호의 수공간과 후면의 녹지 자연 풍경까지 시각적으로 확장하게 된다.

또한, 설계안은 기존의 위상학적 연산 유형의 사례처럼 단순히 하나의 위상학적 연산의 전형을 위하여 위상학적 연산 방법을 극대화하여 사용한 것이 아니라 여러 가지 위상학적 연산을 필요에 따라 사용하면서 서로 조합하여 다양한 위상학적 조합의 결과를 만들어 낸다. 설계안은 대표적인 위상학적 연산인 관통, 보이드, 폴딩, 대지건축 등을 모두 사용하여 복합적인 건축 공간구성을 형성한다. 경사지의 대지는 필요에 따라 인공대지를 넣어 대지 자체를 조정하며 인공대지 위 매스들은 슬라브의 폴딩 연산으로 접기를 통해 서로의 관계를 새롭게 만든다. 매스와 매스 간 공간의 관계와 매스 내부공간의 관계는 물리적, 프로그램적 관통을 이용하여 관계를 설정한다. 그리고 사이트 내 매스의 배치는 솔리드와 보이드의 관계로 설정되는데 보이드의 공간은 외부의 다양한 활동과 잠재적 특성을 외부 마당과 인공대지 위 외부공간이라는 다른 두 종류로 다양성을 구현한다고 할 수 있다.

Diagram Penetration, Folding

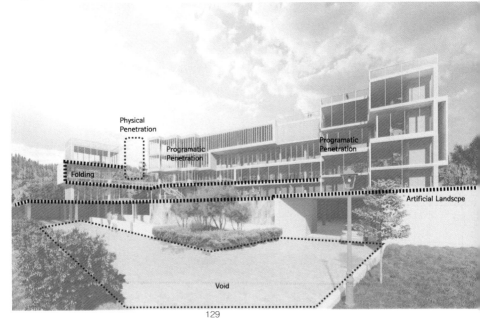

이 연구는 위상학적 건축 요소 중 물리적, 프로그램적 관통과 마당과 중정 등 솔리드와 보이드의 관계, 층별 슬래브의 대지와 주변 건축물로의 확장을 통한 폴딩, 경사지의 조정을 통한 인공대지의 형성 등 다양한 위상학적 연산 방법을 이용하여 공간구성을 생성하고 내, 외부공간의 위상학적 공간구성을 복합적으로 구성하는 형태생성 과정을 통하여 새로운 건축 설계안을 제안하였다. 건축 설계안의 건축 공간적 특성은 다음과 같다.

1. 본 건축 설계안의 기본적인 공간구성의 특성은 경사지라는 사이트 특성에 따른 인공대지 형성과 폴딩 방식으로 매스의 연결을 통한 구성과 동시에 위상학적 관통과 보이드를 이용한 상부 공간구성의 위상학적 연산 방식의 조합인 복합적 공간이다.

2. 위상학적 공간을 형성하는 주요 건축물 매스 구성 요소는 관통, 보이드, 폴딩, 대지건축 등이며 그중 본 설계안에서는 두 매스 사이 연속된 공간인 물리적 관통, 투명성을 이용한 지각적 관통으로 공간구성의 기준을 설정하였다. 그와 함께 사이트 외부공간의 마당과 중정 등 보이드를 이용하였다.

3. 건축물의 배치는 사이트가 가지는 경사지의 특성을 이용하여 위상학적인 대지의 연속성과 인공대지의 형성하여 하부의 주차장과 상부의 매스 배치를 결정하였다. 주 건축물과 소형의 건축물을 슬래브로 연결하여 동선을 확보하면서 폴딩을 이용하여 연속성의 특성을 부여하였다.

최근 현대건축은 위상학의 공간구성 특징을 이용하여 새롭고 다양한 유형을 제안하는 건축 설계 방법론으로 발전하고 있다. 각 유형의 한계를 극복하는 과정으로서 위상학적 연산의 공간적 특성을 복합적으로 공간화하는 사례가 요청된다. 상기 제안한 건축설계안은 위상학의 다양한 복합화와 변형으로 기존의 전형적인 위상학 유형을 보완할 수 있는 사례로서 이는 기존 위상학적 현대건축 설계에서 나타나는 한계를 극복하고 통합된 건축설계로의 가능성을 보여줄 것이다.

An Architectural Design Proposal of Complex Space with Application for Combination of Topological Operations
– Neighborhood Living Facility with Spatial Configuration of Topological Penetration, Void, Folding, and Landscape Architecture –

This study is the architectural design proposal for neighborhood living facility with complex spatial composition and formal generation which combines different topological operations. The spatial characteristics of architectural design are as followed. First of all, there is complex architectural design proposal which combines spatial composition of artificial landscape and folding topological operations in a slope site plan and penetration and void topological operations in architectural mass. The second one is that topological physical penetrations between architectural masses and phenomenological penetration with transparency in architectural mass, and diverse voids in outdoor space. The third one is that site plan was designed considering slope characteristics of site and landscape continuity. The folding and artificial landscape operation was used for the connection with different vertical levels and circulation. This architectural design proposal is the specific design case with complex spatial composition through combination of diverse operations in topological typology. Diverse combination of typological operations can overcome the specific typology with topological operation and it can be a new form generation method in contemporary architecture.

참고문헌
1. 장용순, 공간의 위상학 들뢰즈와 함께 떠나는 현대 건축의 철학적 모험 1, ESA DESIGN, 2022
2. 전보광, 기하학의 꿈, 3차원 기하 위상 수학, 2020 https://horizon.kias.re.kr/13014/
3. 정태종, 현대건축의 공간구성에서 위상기하학적 특성에 따른 연산 유형 분류에 관한 연구, 대한건축학회 학술발표대회 논문집 42(1), pp.500-501, 2022
4. 정태종, 조헌호, 위상학적 연산과 프랙달 기하학 특성을 적용한 건축설계안, 대한건축학회 학술발표대회 논문집 42(2), pp.845-848, 2022

아산 주택 2022

위상학적 연산과 프랙탈 기하학적 특성을 적
용한 건축설계안

- 위상학적 관통과 보이드의 유사 반복된 공간
구성을 이용한 단독주택 -

이 연구는 위상학적 건축 요소 중 물리적, 프로그램적 관통과 마당과 중정 등 솔리드와 보이드의 관계를 이용하여 공간구성을 생성하고 내, 외부공간의 위상학적 공간 구성을 스케일에 따른 프랙탈적 형태생성 과정을 통하여 새로운 단독주택 건축 설계안을 제안하였다. 건축 설계안의 건축 공간적 특성은 다음과 같다.

1. 본 건축 설계안의 기본적인 공간 구성의 특성은 위상학적 관통과 보이드를 기준으로 구성함과 동시에 사이트에서 매스가 점유하는 위상학적 공간의 관계가 스케일에 따른 반복에도 지속적으로 유지되는 프랙탈 기하학을 이용한 복합적 공간이다.

2. 위상학적 공간을 형성하는 주요 구성 요소는 관통, 보이드, 접기 등이며 그중 본 설계안에서는 연속된 복도와 같은 물리적 관통, LDK 통합 등 실을 연결하는 프로그램적 관통으로 공간구성의 중심축을 설정하였다. 그와 함께 사이트 내, 외부공간의 다양한 크기의 마당과 중정 등 보이드를 이용하였다.

3. 관통과 보이드 등 위상학적 공간의 위치와 크기는 단위 유닛화하고 사이트 내 배치에서부터 내부공간까지 다양하고 반복적으로 형성하여 스케일에 따른 변화에도 공간적 특성이 유지되면서 전체를 형성하는 프랙탈적이며 복잡계 건축의 특성을 부여하였다.

최근 현대건축은 위상학과 복잡계 건축의 공간구성 특징을 이용하여 새롭고 다양한 유형을 제안하는 건축 설계 방법론으로 발전하고 있다. 각 유형의 한계를 극복하는 과정으로서 위상학적 연산의 공간적 특성을 복잡계 건축으로 공간화하는 사례가 요청된다. 상기 제안한 건축설계안은 위상학적 공간과 프랙탈적 특성으로 기존 공간의 성격을 보완할 수 있는 사례로서 이는 기존 현대건축 설계에서 나타나는 한계를 극복하고 통합된 건축설계원리로 작동할 것이다.

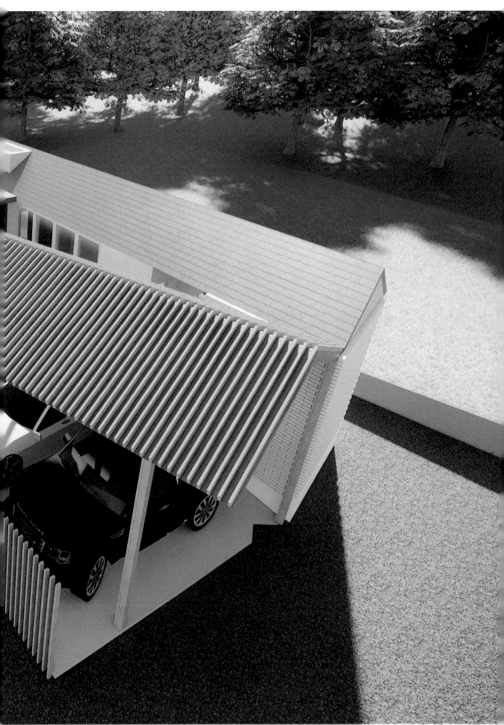

연구의 목적

현대건축은 1960년대에 극명하게 나타난 근대건축의 문제점을 극복하고 현대사회의 다양한 사회적 요청과 도시 건축의 문제를 새로운 건축적 이론과 방법으로 해결하고자 노력하였다. 그 결과 현대건축의 설계안은 구조주의를 바탕으로 하는 철학과 과학 이론을 근거로 하는 은유적 표현 방식을 통하여 다양한 건축물로 형태화되었다(Jang, 2010; Lucan, 2019).

현대건축의 가장 중요한 공간구성의 특성은 위상학적 기하학의 도입이다. 유클리드 기하학을 기준으로 형태 형성을 진행하였던 기존의 건축과 다르게 3차원의 공간 내 위치와 관계의 설정이라는 위상학 이론을 바탕으로 새로운 공간 관계의 다양한 유형을 만들어 내고 그에 따른 건축 공간구성을 선보이며 위상학적 연산의 활용은 현대 건축설계의 중요한 요소가 되었다.

건축분야의 위상학적 유형은 공간의 관계를 바꾸는 관통(Penetration), 공간 점유 관계의 솔리드(Solid)와 보이드(Void), 건축과 주변 환경 경계의 연속성을 형성하는 폴딩(Folding)과 인공대지를 형성하는 것이 대표적이다.

또한, 현대건축은 최근 단위 유닛의 반복이라는 과학적 복잡계 이론을 바탕으로 새로운 현상과 공간을 구현해 내는 건축적 설계방법론으로 전환하였다. 그중 프랙탈 기하학의 이론적 특징을 건축 설계에 적용하려는 시도가 나타나는데, 이는 복잡계 이론의 건축적 확장에서 특정한 형태의 형성과 그에 따른 기하학적 결과물이다. 스케일에 따라 유닛의 반복 과정에서 내재한 특성이 유지되는 경향은 현대건축의 다양성과 함께 새로운 건축 설계방법론의 가능성을 보여주게 되었다(Lee & Yoon, 2006; Lee, 2009).

본 연구에서는 현대건축의 설계방법론의 위상학적 연산과 프랙탈 기하학의 건축적 표현에 대한 이론적인 고찰과 함께 형태 형성과 디자인 원리에 따른 표현 특성 분석을 시행하고 그 결과를 이용하여 현대건축의 복합화된 공간구성과 건축계획을 포함한 구체적인 건축설계안을 제시함으로써 새로운 건축설계방법론의 가능성을 제공하고자 한다.

연구 방법과 절차

연구 방법은 첫 번째 단계로 현대건축의 설계방법론에 대한 이론적인 배경과 건축 디자인 경향에 대한 특징들을 살펴보고 관련된 자료 문헌을 고찰한다. 이를 기반으로 위상학과 프랙탈 기하학을 이용한 건축 설계 방법의 건축 요소를 설정한다.

이후 설계방법을 적용할 대상지의 맥락과 주변 환경, 프로그램, 사용자, 건축주의 요구사항을 분석하고 공간구성과 대안을 제안한다.

세 번째 단계는 위상학적 연산 중 관통과 보이드를 이용한 공간구성을 프랙탈 기하학과 연계하여 구체적인 관계를 형성하고 그에 따른 적절한 설계안을 제시한다. 그리고 설계안의 계획방향과 설계 과정, 프로그램의 구성, 공간구성, 맥락과의 대응 관계 등을 검토한다.

검토한 자료들을 근거로 기존 현대건축에서 사용하는 설계방법의 보완 및 가능성을 확인한다.

현대건축의 위상학적 연산과 공간구성

현대건축은 유클리드 기하학과 형태에 집중하였던 기존의 근대건축에서 벗어나 1960-70년대 철학적, 사회학적 중심인 구조조의와 그에 따른 위상학적 연산으로의 사고와 함께 3차원의 공간에서 관계를 새롭게 하는 위상학적 유형을 만드는 구조주의적 건축으로 전환한다.

위상학적 연산의 유형은 크게 공간의 관계를 새롭게 형성하는 관통(Penetration), 공간을 비움으로서 새로운 잠재성의 공간을 형성하는 보이드(Void), 그리고 경계의 연속성을 이용하여 종이접기와 같은 폴딩(Folding)과 인공대지 형성 등으로 나눌 수 있다. 이러한 건축의 경향은 근대건축의 후기에 나타난 팀텐의 새로운 사고가 확장되면서 지금까지 해결하지 못했던 다양한 건축의 문제를 반영하고 도시의 하부구조나 네트워크의 중요성을 부각하면서 현대건축을 만들어 낸다.

이후 현대건축은 구조주의적 건축이 컴퓨터를 이용한 파라메트릭 디자인을 바탕으로 건축적 형태에 집중하게 된다. 이 과정에서 발생하는 문제점의 해결을 위하여 현대건축은 새로운 과학적 복잡계 이론을 이용한다. 이 이론은 완전한 질서나 무질서가 아닌 중간에 존재하는 비선형 상호작용에 의해 작동한다. 새로운 건축적 설계방법론은 이를 바탕으로 건축에서 단위 유닛의 반복과 그로 인한 복잡한 현상과 공간을 구현해 내는 결과를 가져온다.

프랙탈 기하학과 건축적 적용

최근 현대건축에는 카오스 이론과 복잡계 이론을 기하학적으로 표현하는 프랙탈 기하학의 원리를 이용하여 건축 형태를 형성하는 사례가 나타난다. 프랙탈 기하학과 현대건축은 형태를 형성하는 생성자와 형태생성 알고리즘을 이용하여 나타난 결과인 기하학적 형태를 공유한다.

1975년 만델브로트(B. Mandelbrot)에 의해 개념화된 프랙탈 기하학은 최근 다양한 분야에서 새로운 조형적 변수로 작용되고 있으며 특히 디지털 건축의 형태생성방법으로 사용되고 있다. 이러한 프랙탈 기하학의 건축적 적용에 관한 관점은 고도의 기술문명 사회에 직면한 기계적인 환경에서 자연의 원리에 기초한 디자인을 요구하게 되고 반복을 통한 공간구성과 형태 형성이라는 공간적 특성을 갖는 복잡계 이론에 따른다.

프랙탈 기하학의 형태특성은 자기유사성(Self-similarity), 비선형성(Non-linearity), 무작위성(Randomness)이며 생성 알고리즘으로는 스케일링(Scaling), 중첩(Superposition), 왜곡(Distortion) 등이다. 그중 가장 대표적인 특성인 스케일링은 변화하는 스케일에 따른 반복 속에서도 내재된 자기유사성의 성질과 형태를 유지하는 것이다.

대상지 맥락과 현황: 충남 아산시 송악면 강당리

대상지의 현황

건축 설계 대상지는 충청남도 아산시 송악면 강당리이다. 지역지구는 일부는 계획관리지역, 다른 부분은 생산관리지역, 공장설립제한지역이다. 대상지의 대지 면적은 1,073m²으로 건폐율은 생산관리지역 20퍼센트 이하, 계획관리지역 40퍼센트 이하이며, 용적률은 50퍼센트 이상 100퍼센트 이하이다. 대상지 일부에 대지면적 277m², 건축면적 71.24m²(약 21.5평)의 기존 주택이 포함된다.

대상지 일대의 맥락

대상지 일대는 중부지방의 대표 전통마을인 외암민속마을과 외암마을 민속공원 가까이에 위치한다. 주변에 설화산과 강당리 계곡 등 자연환경으로 둘러싸여 있다. 그 결과 한국전통의 건축문화와 자연환경 속에서 도시지역과는 다른 이 지역만의 특색을 갖춘 곳이다.

Site

아산시 송악면 단독주택의 설계 구상안

단독주택 계획과 설계 과정

본 설계안은 우선 건축주의 요구사항과 대상지 및 주변 환경인 아산시 송악면 강당리 일원을 바탕으로 법규검토를 시행하였다. 이후 위상학적 관통과 보이드를 이용하여 규모와 배치, 매스 스터디, 대안을 결정하였다. 관통의 물리적, 프로그램적 공간구성과 함께 마당과 중정 등 내, 외부 보이드 부분을 설정하고 스케일에 따른 위상학적 공간구성이 유지되도록 프랙탈적 특성을 구현하였다. 위상학적 공간구성과 프랙탈적 특성을 조합하여 최종적인 설계안을 구성하고 제시하였다.

Diagram　Penetration, Void

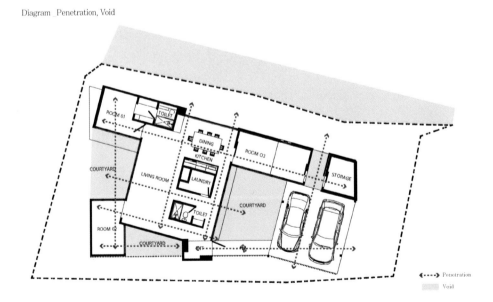

건축 설계 구상안의 계획 방향

본 설계안에서는 첫 단계로 위상학적 관통을 구현하기 위해 대상지 내에 2개의 공간 구성 축을 설정하였다. 대상지 동쪽에는 전면의 도로와 평행한 축을 설정하였으며, 해당 축에 공간을 배치하였을 때, 주택 공간의 일부가 외부와 자연적인 경계를 설정할 수 있도록 계획하였다. 대상지 서쪽에도 마찬가지로 대지 경계와 평행한 축을 설정하여 외부와 자연적인 경계 설정 및 주택 공간 배치를 위한 큰 흐름을 계획하였다.

이후, 설정된 2개의 축 사이인 대상지 중앙부에 거실 및 공용공간을, 대상지 북쪽으로는 차량을 위한 주차 공간을 배치하여 동서방향 축 사이에 마당(보이드)-거실(솔리드)-중정(보이드)-주차장(솔리드)으로 반복되는 공간의 리듬을 구성하였다. 이를 통해 대상지 내 2개의 축과 2개의 매스로 구성된 주택 볼륨을 형성하였으며, 추후 구체적인 공간 및 실의 배치 계획은 동-서 방향에 계획된 2개의 축에 따르도록 하였다.

본 설계안의 프랙탈 개념은 공간의 보이드-솔리드의 관계망을 통해 나타나도록 계획하였다. 거시적 관점인 주택 배치 계획에서, 솔리드한 주택의 배치는 비어있는 주변 대지의 보이드와 관계를 맺고, 주택 내 공간 배치에서 마당과 중정은 거실 및 주차장과 솔리드-보이드의 관계를 형성하게 된다. 미시적 관점인 주택 내부 또한 지속적으로 솔리드-보이드의 공간 관계를 유지함으로써, 스케일의 변화 속에서도 주택의 내재된 성질과 형태가 유지되는 것이 본 설계안의 핵심 계획에 해당한다.

건축 프로그램의 구성과 공간구성

주택의 공간구성은 단층으로 구성된다. 주택의 사용자가 대상지 동쪽의 도로면에서 차량 또는 도보로 진입하고, 이에 따른 사용자의 내, 외부 동선을 계획하여 동선에 따라 주요 프로그램을 위치하였다.

특히, 사용자들이 동선상에서 관통을 시각적으로 확인할 수 있도록 주택 볼륨에서 확인 가능한 것처럼 주택의 중앙 볼륨 내부에 화장실과 부엌 공간이 독립된 매스로 구성되어 공간 내부에 관입된 형태로 배치된다. 평면상 이와 같은 두 공간의 배치는, 입구를 통해 주택 내부에 들어온 사용자가 경로를 통해 움직이며 위상학적-시각적 관통을 경험할 수 있는 공간적 흐름을 형성하였으며, 사용자들이 각 공간들을 빠르게 이동할 수 있는 단축 동선(Shortcut)을 형성한다.

시각적-위상학적 관통 개념은 주택의 가장 깊은 내부에 해당하는 서쪽 축선의 공간 배치에서도 동일하게 적용된다. 주택의 입구에서 가장 깊숙한 위치인 남서쪽 공간에는 안방 및 드레스룸, 화장실이 하나의 조닝(Zoning)을 형성하여 배치되며, 부엌 주방의 위쪽으로 식당이 양변으로 길게 형성되어 주택 내 많은 사용자들이 함께 식사할 수 있는 공간을 조성하였다. 주택 북쪽으로도 1개의 추가적인 방이 배치되고, 주차장 상부로는 창고 시설이 위치하여 기능적으로 주차장에서의 직접적인 접근 및 북쪽 방을 통한 접근이 가능하도록 계획하였다. 이와 같은 서쪽 축선의 공간 배치는 평면상에서 확인 가능한 것처럼 명확한 복도 공간이 존재하지는 않으나, 안방부터 식당-방-창고까지 이어지는 물리적인 관통을 형성하였으며, 사용자가 공간 축을 따라서 시각적인 관통을 경험하도록 유도하고 있다.

또한, 평면상에서 중앙 볼륨 내 공용 화장실 공간과 세탁실(Laundary)-부엌으로 구성된 2개의 코어배치는 상대적으로 빈 공간인 거실-식당-부엌(LDK) 공간과 솔리드-보이드의 관계를 구축하며 스케일의 축소 속에서도 형태적 유사성을 유지하는 요인으로 작용한다. 공용 공간 중 개방된 LDK는 화장실 및 세탁실의 중심 코어와 서로 이질적인 성격의 프로그램이며, 역할적 측면에서도 기능적으로 작동하는 코어 공간과 대비되어 공용공간은 구조적-조직적으로 완전히 분리된 공간으로 해석가능하다. 즉, 코어 공간과 주변 공간은 공간 구성상 분리되어 평면 내에서 솔리드-보이드의 공간적 관계망을 형성하였으며, 매스 배치-볼륨 구성-공간 구성'의 스케일 변화 속에서도 자기유사성과 내재된 성질을 유지하게 되어 본 설계안의 구상적 개념에 해당하는 프랙탈 기하학 특성을 내부 공간과 프로그램의 배치단계에서도 구현한다고 할 수 있다.

Elevation Frontside

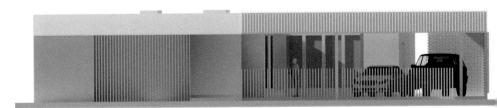

Elevation Backside

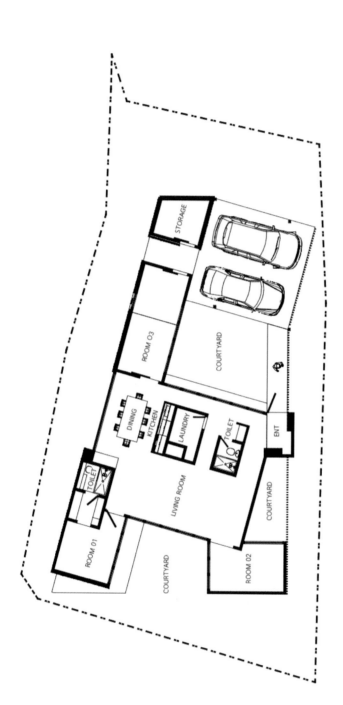

STORAGE

ROOM 03

COURTYARD

DINING

KITCHEN

LAUNDRY

TOILET

ENT

LIVING ROOM

TOILET

ROOM 01

COURTYARD

COURTYARD

ROOM 02

N

Plan

0 1 2 5 8 12

An Architectural Design Proposal with Characteristics of Topological Operation and Fractal Geometry
- Single Family Housing with Spatial Configuration of Repetitive Topological Penetration and Void -

This study is the architectural design proposal for single family housing with complex spatial composition which combines topology and complexity theory. The spatial characteristics of architectural design are as followed. First of all, there is architectural design proposal which combines spatial composition of topological operation and fractal characteristics with self-similarity and repetition. The second one is that topological penetrations such as physical/visual connection and programatic connection are conducted as a central axis and diverse voids in exterior/interior atrium are applied for a new type of single family house. The third one is that repetitive characteristics according to spatial scale with self-similarity of fractal geometry is main design factor in spatial composition of topological operations. This architectural design proposal is the specific design case with complex spatial composition through combination of topological typology and fractal geometry. Although they show different aspect of spatial configuration of architecture but they compensate each other, and the combination can be a new form generation method in contemporary architecture.

참고문헌
1. 이경훈, 윤용배, 프랙탈 기하학 이론의 건축적 적용에 관한 연구, 대한건축학회 논문집 - 계획계 22(11), pp.203-210, 2006
2. 이명식, 건축디자인에서 프랙탈 기하학의 적용에 관한 연구, 대한건축학회 논문집 - 계획계 25(5), pp.165-172, 2009
3. 자크 뤼캉, 오늘의 건축을 규명하다(남성택 역), 시공문화사, 2019

파주 근생 리모델링 2021

위상학적 폴딩을 이용한 형태 형성과 공간구성
설계안

잠재적 미래는 감추어진 과거 속으로 스며든다, 건축 리모델링

건축에서 시간성은 건축물의 동선과 공간감의 체험에 의한 스토리텔링과 일정 기간의 시간 흐름에 따른 건축의 변화에 의존하므로 공간이나 장소성의 공시적 관점에 비해 통시적으로 다가온다. 오래전 지어진 건축물을 리모델링 하는 경우의 시간성은 과거, 현재, 그리고 다가올 미래와의 시간적 간극을 극복해야 한다. 기존의 건축을 얼마나 남기고 기억하게 할 것인가? 잠재적 차원의 다가오는 건축을 어떻게 연결할 것인가? 그 관계의 연결고리는 무엇인가?

각 시간의 고고학적 지층은 어떻든 관계를 맺게 되고 각 시간대의 건축적 조건과 환경을 반영하는 계보학적 흔적은 시각적으로 남게 된다. 특히 기존의 건축과 새로운 건축을 동일한 건축가가 설계를 담당하는 경우는 변화된 프로그램과 요구사항도 함께 디자인의 연속성과 차별성을 결정하는 데 있어 새로운 균형에 대해 더 많이 고민하게 된다. 또한, 10년 여년의 시간 변화에 대응하는 리모델링 프로젝트는 기존 건축의 시간성에 현재 한국 사회의 단면을 반영하는 또 다른 특수한 관점이 나타날 것이다.

2009년 경기도 파주시 교하읍 산남리의 포토 스튜디오 설계 프로젝트는 사진의 프레임이라는 직설적 표현의 형태화를 기본 개념으로 외부와 내부의 창을 다양한 크기와 색을 이용한 프레임과 연결하여 구체화하였다. 카메라의 형태를 연상시키는 회색의 매스에 색을 구성하는 요소인 파랑(Cyan), 자주(Magenta), 노랑(Yellow), 검정(Key=Black)의 CMYK 색 체계의 프레임을 넣어서 사진 스튜디오라는 직, 간접적 이미지를 연상하게 하였다. 건축 설계 당시의 주요한 고려 사항들은 다음과 같다.

1. 건축적 개념_회색의 매스에 다양한 형태의 CMYK 프레임을 넣고 외부의 시각적 효과를 내부의 공간까지 연장한다.

2. 대지 조건 해결_ 삼각형 형태의 대지 옆 언덕이 있고 뒷마당을 외부공간의 활용을 위하여 건물의 배치를 대지의 전면에 내세우고 대지의 경계와 평행하게 배치한다.

3. 건물의 형태/입면/재료/구조/설비_사진 스튜디오라는 프로그램을 연상시키기 위해 2층의 일부분을 돌출시키고 중심에 있는 메인 스튜디오 공간은 층고를 높여 기능과 연결되고 일부분을 중이층(Mezzanine)으로 다락방 분위기의 스튜디오 공간을 만든다. 회색 매스의 콘크리트 패널, 지정 마감의 페인트 프레임 등 서로 다른 건축 재료들을 이용하여 다양하고 이질적인 시각적 효과를 형성한다.

10여 년이 지난 현재 리모델링이 진행되고 있다. 시간의 흐름에 따른 외부 마감의 노후화 해결, 내부공간의 변경, 그리고 후면 외부공간의 파빌리온 과 같은 건축 공간이 요청되었다. 특히 외부마감의 노화에 대한 해결책으로 기존의 형태와 공간에 대한 변화를 동반하기로 하였다. 그러나 초기 설계에서 특정 프로그램과 관련한 형태가 리모델링 단계에도 영향을 줄 수밖에 없는 상황이다. 또한, 초기 설계와 리모델링을 모두 건축가 본인이 담당하기에 시간의 변화에 대한 자신의 건축철학도 드러낼 기회이다. 기존의 공간적 특성은 최대한 남기면서 스킨처럼 감싸서 기존의 레이어와 형태를 완화시키면서 새로운 반투명한 공간을 위한 다양한 시도들인 멤브레인(Membrane), 펀칭 메탈(Punchinng Metal), 폴리 카보네이트(Poly Carbonate), 루버(Louver) 등 대안을 고려하였다. 또한, CMYK를 이용한 프레임은 이제 내부 창을 중심으로 하는 반투명성의 스킨(Skin)으로 구성되는 새로운 시각적 형태를 구현하게 된다. 이렇게 다가오는 미래는 과거의 숨어있는 장점과 단점을 드러내면서 서로에게 스며들 듯 연결하여 새로운 하이브리드(Hybrid)로 탄생하게 되며 우리는 다가오는 오래된 미래가 어떻게 나타날지 지켜 볼 일이다.

Skin_ Folding Directions

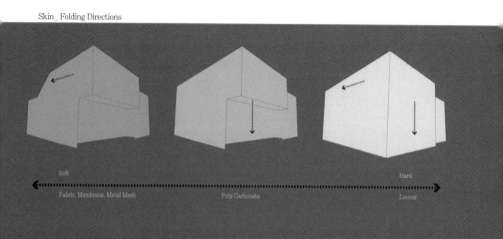

근린 생활 시설(포토 스튜디오), 2009년 설계, 2010년 준공, 2021년 리모델링 설계

경기도 파주시 교하읍 산남리
계획관리지역, 군사시설보호구역기타(5.5m위험지역), 제2종근린생활시설
대지면적: 642.00m², 건축면적: 83.2m², 연면적: 122.2m²
건폐율: 12.96%, 용적률:19.03%
규모: 지상 2층, 주차: 실외 2대
구조: 일반철골구조
내부마감: 석고보드+지정 페인트 마감
외부마감: 콘크리트 패널 마감
리모델링 외부마감: 폴리 카보네이트

Plan

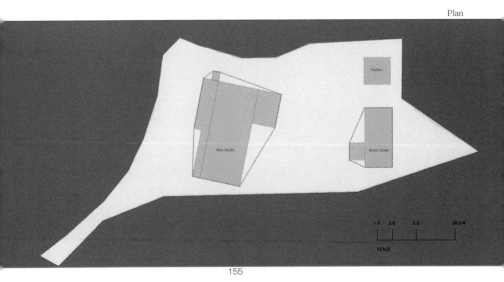

교육시설 증축 2024

건축 요소의 상호의존성 조정을 통한 공간구성
통합화와 구축성의 변화 가능성에 관한 연구

이 연구는 건축 설계안의 독립된 건축 요소의 기능과 역할의 상호의존성을 높이고 통합을 위해 복합적 건축적 개입을 이용하여 공간구성의 위상학적 대안의 가능성을 파악하였다. 새로운 건축적 장치는 외피와 외부동선을 연결하고 위상학적 공간구성을 프로그램과 통합하여 공간구성의 복합적 역할을 할 수 있으며 건축 설계안은 일정한 공간과 구조의 한계 내에서 가능할 것으로 예측된다.

연구의 목적

기존의 건축은 두꺼운 벽을 이용하는 조적조나 콘크리트 벽식 구조 또는 기둥과 보로 공간을 구성하는 기둥-보 구조를 이용하여 내부 공간구성을 형성하고 프로그램 실을 구획 및 배치와 동선 등으로 이용한다. 이러한 분리된 건축 요소의 공간 형성 방식은 현대건축에서 구조와 공간의 혼합된 방식으로 변화하면서 구조와 공간과 외피의 관계를 새롭게 형성하고 더 나아가 단순한 기하학 형태의 반복과 기본적인 건축 재료를 이용한 복합적이며 구축적인 공간을 창출하고 있다.

이러한 점을 고려하여 본 연구에서는 주요 건축 요소의 상호의존성(Interdependence)을 조정하여 공간의 다양성이 나타나는 과정에 초점을 맞추어 여러 건축 요소를 통합한 결과로써 구축성의 변화 가능성을 살펴보고 그에 따라 변화하는 공간구성의 분석을 통하여 기존 건축 설계 과정에서 복합적이고 잠재적인 건축적 장치의 역할과 그 의미를 찾아보고자 한다.

연구 방법과 절차

연구 방법은 첫 번째로 현대건축에서 주요 건축 요소의 상호의존성과 그에 따른 공간구성과 구축성의 형성에 대한 이론적인 배경과 경향의 특징들을 살펴보고 관련된 건축 문헌 및 사례를 고찰한다. 이후 건축 설계 대상지의 맥락과 주변 환경, 프로그램, 사용자, 건축주의 요청사항을 분석하고 공간구성과 대안을 제안한다. 세 번째 단계는 초기부터 최종까지 전반적인 설계 과정에서 나타나는 구조체, 동선, 외피, 프로그램을 통합화한 잠재적인 건축적 장치와 공간구성의 특성을 중심으로 건축적 장치와 그에 따른 공간구성의 변화를 분석한다. 이 자료들을 근거로 기존 건축 설계 과정에서 나타나는 통합적 건축 장치와 그에 따른 공간구성의 특성 및 변화 가능성을 확인한다.

건축 요소의 상호의존성과 공간구성의 이론적 고찰

현대건축의 새로운 공간구성은 위상학적 연산을 이용하여 기존과는 다른 형태와 공간 관계를 형성하는 접근방식과 자연과 사회 속 현상을 해석하는 복잡계 이론을 통한 복잡계 건축 등이 있다. 이러한 공간의 제안은 디지털 설계 방식을 통해 기존 건축 요소의 변형, 조합이 가능하게 되면서 다양한 건축적 결과를 도출하게 된다. 그중 근대건축에서 기둥과 슬라브로 구성된 도미노 시스템은 구조와 공간이 분리되어 각 건축 요소의 독립된 역할을 담당하였는데 현대건축에서는 다공성과 비정형의 구조를 도입하여 구조와 공간과 외피의 구분 없이 각 건축 요소의 상호의존성의 공간을 형성하며 새로운 건축을 제안한다. 일본 건축가 도요 이토의 센다이 미디어테크와 스위스 건축가 크리스티앙 케레즈의 원 월 하우스(House with One Wall)는 주요 건축 요소인 구조체와 공간구성의 통합을 이용하여 새로운 공간의 구축성을 제안한 건축 사례라 할 수 있다.

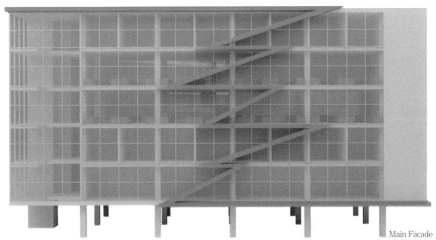

Main Facade

대상지 맥락과 현황: 경기도 용인시 기흥구 죽전로

대상지의 현황과 맥락

건축 설계 대상지는 경기도 용인시 기흥구 죽전로 단국대학교 캠퍼스 내
위치한다. 국토의 계획 및 이용에 관한 법률에 따른 지역 지구는 도시지
역, 자연녹지지역이다. 기존 건축학부 종합실습동은 지상 4층의 철근콘크
리트(RC조)이며 건물 북동 측 대지에 확장 증축하여 연결하는 것이 주된
목적이다. 주변에는 녹지가 있어 자연환경이 뛰어난 곳이며 경사지의 특
성을 고려해야 한다.

Site

교육시설 설계의 건축 요소 통합화한 공간구성 대안

교육시설 건축 계획과 설계 과정

본 설계안은 우선 교육시설의 요구사항과 대상지 및 주변 환경분석을 바탕으로 전반적인 검토를 시행하였다. 이후 기존의 종합실습동을 기준으로 프로그램, 다양한 공간 구성, 규모와 배치, 매스 스터디, 대안을 결정하였다. 이후 다양한 대안을 위한 과정에서 건축 요소의 상호의존성을 이용하여 공간구성을 통합하고 그에 따른 구축성의 변화를 구현하였고 그에 따른 설계안을 구성하고 제시하였다.

통합화한 건축 장치의 구축성 잠재적 변화 가능성

매스 스터디를 통해 증축 건축물의 규모가 확정된 후 기존의 설계에 주요하게 고려하는 건축 요소를 각 실 프로그램, 공용공간인 동선 등 평면구성의 요소들, 입면 구성 요소와 외피, 기둥과 보 등 구조체 관련 요소, 위상학적 관통과 보이드 등 공간구성의 개념적 요소 등으로 분류 정리하였다. 이후 독립적인 각 요소의 특성을 조정하여 상호의존성을 형성하여 통합하여 하나의 구축적 건축 장치를 설계하여 기존 매스에 부가하였다. 최종 설계안에서 구조체, 동선, 외피, 프로그램을 통합화한 잠재적인 건축적 장치의 역할이 가능함을 확인하고 최종안으로 확정하였다.

새로운 건축적 장치에 의한 공간구성의 변화를 명확하게 하고자 입면에서 외피와 외부동선을 연결하고 공간구성을 위상학적으로 접근하고자 주출입구 관통과 내부 보이드를 층별 프로그램과 통합하였다. 그 결과 건축 요소의 상호의존성 통합화가 구축성을 드러내면서 잠재성의 건축 장치가 현실적인 디자인으로 드러나게 되었다.

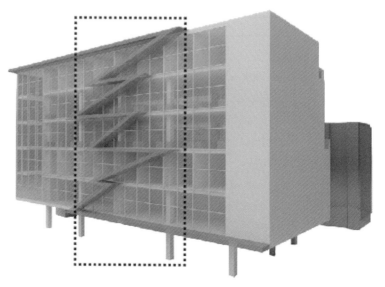

Structure

Circulation

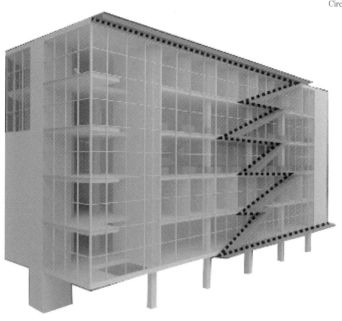

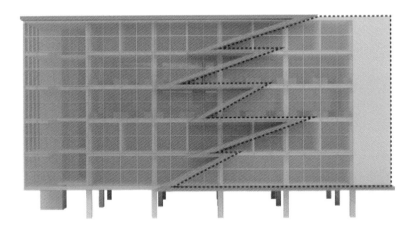

Elevation, Facade

Program Allocation

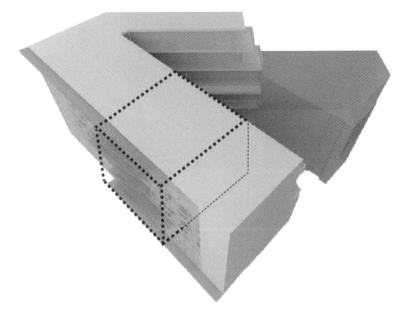

A Study on the Possibility of Integration of Spatial Composition and
Tectonic Change through the Adjustment of Interdependence of Ar-
chitectural Elements

The purpose of this study is to find out the possibility of architectural
design alteration in spatial composition and tectonic change with com-
plex architectural intervention through adjustment and integration of
interdependence in architectural elements such as column and girder,
wall, circulation, facade, program for separate function and role in ex-
isting architectural design process. New potential architectural inter-
vention which integrates topological space and architectural program
and connects building skin and outside circulation to a new tectonic,
performs the complex role of spatial composition with certain part of
building structure and it become dominant system for architectural
building planning. This architectural intervention with integrated spa-
tial composition and changed tectonic can be a new design tool for the
spatial alterations and interdependence of architectural elements in
architectural design process.

참고문헌
1. 자크 뤼캉, 남성택. 오늘의 건축을 규명하다 건축의 현재 상태에 대한 상세설명.
시공문화사, 서울. 2019
2. Christian Kerez. El Croquis 145: Christian Kerez 2000-2009. El Croquis,
Madrid. 2009

04. 현상학 / 분위기, 장소성

파주 근생 2023
역삼 근생 2020
OSVC 클리닉 2020
OSVC 연구소 2020
Warming Huts 2020-2022

파주 근생 2023

기존 건축물의 위상학적 경계 조정에 따른 외부
공간 재인식을 이용한 건축 리모델링 설계안

Architectural Design Proposal for Remodeling
through Re-perception of Outdoor Space with
Topological Boundary Adjustment in Existed
Building Structure

연구의 목적

건축물의 경계는 주로 대지의 경계와 법규에 따라 일차적으로 한정되고 활용 가능한 공간의 범위에서 다양한 설계 방법에 따른 결과물로서의 건축물에 의하여 결정된다. 3차원의 매스와 형태의 건축물은 주변 환경 맥락과 관계에 따라 경계가 결정되기도 하지만 건축물 자체의 공간구성과 입면의 특성에 의해서도 경계의 재인식이 나타난다. 특히 건축물의 내부공간보다 외부공간의 경계에 따른 공간의 재인식은 전체 공간구성에 영향을 준다. 즉, 물리적인 경계와 함께 현상학적 경계의 지각이 동시에 나타난다.

이러한 점을 고려하여 본 연구에서는 소규모 근린생활시설의 주변 환경 변화에 따른 리모델링 설계 과정에서 기존 건축물 경계의 위상학적 변화를 이용한 외부공간의 재구성과 그에 따른 공간의 재인식을 살펴보고 공간구성의 다양성이 나타나는 과정에 초점을 맞추어 공간구성에 영향을 주는 경계를 이루는 요소 분석을 통하여 공간구성의 리모델링 가능성과 기존 건축물과의 상관관계의 특성을 살펴보고자 한다.

연구 방법과 절차

연구 방법은 우선 건축물의 경계와 공간 인식에 대한 이론적인 배경과 경향에 대한 특징들을 살펴보고 관련된 문헌을 고찰한다. 이후 리모델링 프로젝트 대상지의 맥락과 주변 환경, 프로그램, 사용자, 건축주의 요청사항을 분석하고 공간구성과 대안을 제안한다. 세 번째 단계는 리모델링 설계 과정에서 나타나는 경계 변화와 공간의 인식에 변화를 주는 요소를 분석하여 그에 따른 공간구성의 특성을 검토한다. 이 자료들을 근거로 리모델링 건축 설계 과정에서 나타나는 공간구성과 인식의 특성 및 변화 가능성을 확인한다.

건축물 경계와 공간 인식의 이론적 고찰

건축물은 일반적으로 물리적인 형태와 공간구성으로 인하여 명확한 경계를 형성한다. 건축물의 경계는 크게 대지의 경계, 건축물 자체의 공간구성에 의한 물리적 경계, 그리고 입면과 외피의 건축 재료와 그에 따른 지각적인 경계 등으로 나눌 수 있다. 그중 사용자에 따른 공간의 인식에 의한 건축물의 경계는 다양한 위상학적 또는 현상학적인 방법에 따라 조정과 변화가 나타나며 현대건축은 이를 적극적으로 이용한다.

공간의 인식은 물리적인 위상학적 공간구성과 함께 사용자의 다양한 현상학적 지각에 따른 결과인데 현대건축은 현상학적 공간 지각의 다양성을 위해 여러 가지 건축 요소를 이용하여 설계한다. 그중 경계를 조정하는 방법은 공간의 확장성과 연속성 등 공간구성 변화와 유리 등 건축 재료의 투명성을 이용하여 기존 매스의 재인식을 통해 공간 변화를 형성하는 것이다. 특히 투명성은 가벼움을 동반하며 공간의 경계는 무한대로 확장하고 내, 외부공간의 연속성은 기존의 경계에 변화를 주게 된다.

건축 경계 인식의 변화 방식과 특성

항목	요소	특성	경계
확장성	공간구성의 확대	내부공간이 외부로 확장됨	경계 확대
연속성	공간구성의 연속성	내, 외부공간의 경계가 연결됨	경계 흐림
투명성	건축 재료	투명, 반투명한 건축 재료를 이용	가벼움 동반

대상지 맥락과 현황: 경기도 파주시 산남로

대상지의 현황과 맥락
건축 설계 대상지는 경기 파주시 산남로이다. 국토의 계획 및 이용에 관한
법률에 따른 지역 지구는 계획관리지역이다. 대상지의 대지 면적은 255
㎡로 건폐율은 제1종일반주거지역 40% 이하이며, 용적률은 100% 이하
이다. 현재 근린생활시설은 지상 1층의 철골구조로 불규칙한 대지 경계
의 중심부에 위치하여 대지 전면부와 후면부에 외부공간이 형성되어 있
다. 최근 주변 개발에 따른 수직적 경계의 재설정이 발생하여 문제화되었
고 이로 인하여 리모델링을 결정하였다. 주변에는 삼학산 등 자연환경이
뛰어난 곳이다.

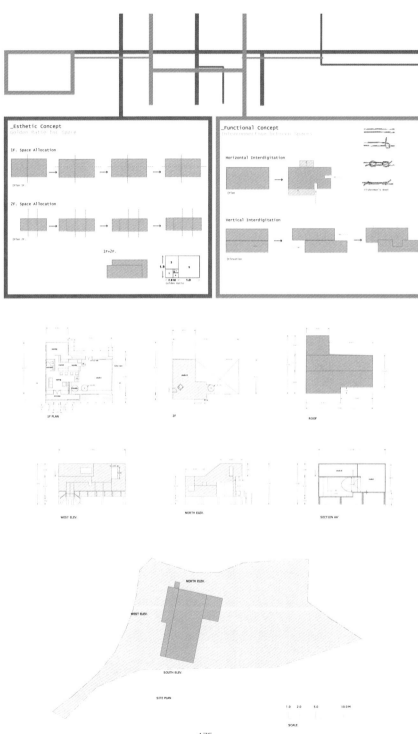

_Esthetic Concept
Golden Ratio for Space

1F. Space Allocation

[Plan 1F.

2F. Space Allocation

[Plan 2F.

1F+2F.

Golden Ratio

_Functional Concept

Horizontal Interdigitation

[Plan

Fisherman's Knot

Vertical Interdigitation

[Elevation

1F PLAN

2F

ROOF

WEST ELEV.

NORTH ELEV.

SECTION AA'

NORTH ELEV.

WEST ELEV.

SOUTH ELEV.

SITE PLAN

1.0 2.0 5.0 10.0 M

SCALE

소규모 근린생활시설의 경계 변화와 공간구성 대안

리모델링 건축 계획과 설계 과정
본 설계안은 우선 개발로 인한 주변 환경 변화에 따른 건축주의 요구사항
과 대상지 및 주변 환경분석을 바탕으로 법규검토를 시행하였다. 이후 기
존의 근린생활시설 평면을 기준으로 대지의 경계 변화와 그로 인한 새로
운 경계의 시각화, 다양한 공간구성, 규모와 배치, 대안을 결정하였다. 이
후 기존 건축물과 새로운 건축적 장치의 연결과 관계를 설정하고 여러 단
계의 설계안을 구성하고 제시하였다. 새로운 경계에 따라 기존의 3차원적
단일 매스 건축물의 입면에 단순한 수직 단위를 반복하고 투명성을 조정
하여 공간 재인식의 변화를 시도하였다.

경계의 재설정과 그에 따른 외부공간의 재인식 변화 가능성
설계안에서 경계의 재설정은 우선 기존 건축물의 입면을 확장하여 새로
운 경계의 가능성을 확보하였다. 이후 대지 경계의 독특한 형태에 따라 연
속적으로 연결하여 기본적인 경계를 확보하였다. 이후 기존 건축물의 입
면과 다른 가벼움과 투명성의 건축 재료를 선정하여 반복하여 구성하였
다. 그로 인해 발생하는 외부공간 다양성의 관계를 극대화하기 위해 새로
운 경계의 상부와 하부의 투명성을 다르게 하여 사용자의 공간 선택과 재
인식에 변화를 주었다. 그 결과 개발에 따른 수직적 경계가 발생한 후면부
의 시각적 조정과 함께 새로운 공간구성이 나타났다.

Elevation 01

소규모 근린생활시설 리모델링 설계안의 경계 재설정과 그에 따른 공간 구성의 다양성 속에서 경계와 공간의 재인식이라는 대안의 가능성을 파악하고자 하였다. 제안한 새로운 경계의 시각화와 그에 따른 공간구성의 다양성 대안은 주변 개발의 부작용으로 나타난 물리적 경계의 문제점을 서로 대립하면서도 현상학적 경계의 다양성을 시각화함으로써 새로운 설계의 방식의 가능성이 될 수 있다.

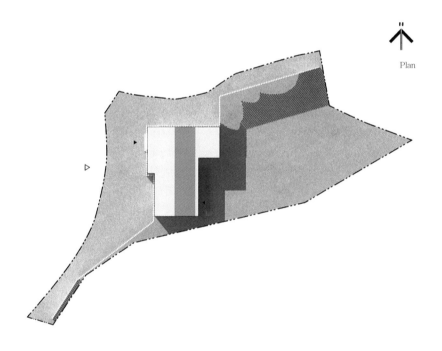

Plan

Elevation 02

The existed building has been undergone the alteration of property boundary and change of environmental condition with the new development of neighborhood. The proposed remodeling design focuses on the diversity of spatial composition and possible alteration through boundary adjustment of outdoor space in existed building structure with phenomenological re-perception of new topological composition.

The design proposal reveals visualization of architectural intervention and new boundary. It can be a new architectural design possibility with confrontation the circumstance which has been changed the physical boundary from development of surrounding environment and can be a communication and compromise to relieve the problems of boundary through control of diverse phenomenological perception.

역삼 근생 2020

색의 순환
Circulation of Color in Architecture

시간이 지나서 새벽이 오면 다시 빛이 비치면서 세상은 깨어난다. 주변 환경이 다시 자신의 모습을 보여준다. 이제 자신의 색으로 단장한 수많은 사물과 새로운 관계를 맺을 시간이다. 동트기 전 새벽이 가장 어둡다. 건축의 빛이 가장 빛날 수 있는 마지막 시간이다. 배경의 색이 푸르스름해지고 붉어지고 밝아지면서 우리의 건축은 다시 주변 사람에게 자리를 내어주고 공간으로 돌아간다. 본연의 재료와 건축가가 의도한 색으로 공간의 사용자를 위한 배경으로 돌아간다.

어둠은 빛의 결여인가? 그림자는 빛에 의해서만 만들어지는가? 기존의 빛과 어둠의 공존은 과연 무엇일까? 지금까지 과학자들은 어두움은 빛의 없음으로 정의했다. 그러나 어둠은 어둠에 있지 않고 밝은 가운데 존재한다. 어쩌면 어둠은 빛의 결여가 아니고. 빛의 과잉일 수 있다.

건축의 색은 낮과 밤을 순환하면서 자신을 감추었다가 살아나기를 반복한다. 2차원에서 4차원으로 지속해서 변화한다. 낮의 기능을 담고 있는 건축은 사용자의 공간에서 벗어나 밤의 주체로 거듭나야 한다. 건축의 색은 새로운 빛으로 삶의 절반을 새롭게 살아가야 한다.

184

건축에서 색은 보통 낮을 기준으로 한다. 낮은 건축의 주변 환경이 명확하게 자신의 색을 내세우고 수많은 색이 햇빛 아래 노출된다. 그러기에 건축은 오히려 자신의 색을 단순화하고 추상적으로 나타난다. 건축 재료의 본연의 색에 건축가의 의도가 담긴 색은 거의 사용하지 않는다.

그러나 밤이 되면 주변 환경의 색이 잦아들고 숨겨지면서 새로운 상황이 벌어진다. 낮의 수많은 색이 픽셀로 모자이크처럼 만든 세상은 어두움이라는 단일한 배경으로 변한다. 마치 검은색의 캔버스처럼. 건축은 그 캔버스에 자신의 색을 인공조명을 이용하여 그림을 그린다. 마치 낮에 주변에 의하여 위축되고 숨어 있다가 밤에 날갯짓하며 자신의 삶을 살아가는 야간형 생물처럼 깨어난다. 그들에게 밤은 새로운 세상이다.

밤은 빛이 색이다. 강렬한 1차원의 선으로 표현된 밤의 조명은 빛으로 퍼져나가서 2차원으로 지각되며, 2차원의 빛은 바로 3차원의 공간을 비추게 된다. 그리고 시간이 지남에 따라 4차원의 연속성을 지니게 된다. 또한, 밤을 체험하는 나 자신을 감추고 떨어져서 바라보는 제삼자가 될 수 있다. 주체의 시각과 관점은 있지만, 주체가 노출되지 않는다. 어디를 보는지 눈동자의 움직임도 알기 어렵다.

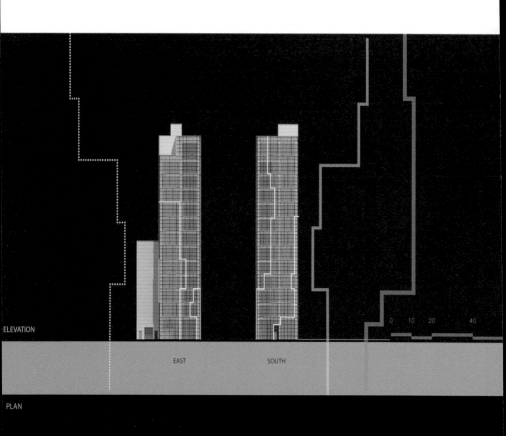

ELEVATION

EAST   SOUTH

0   10   20   40

PLAN

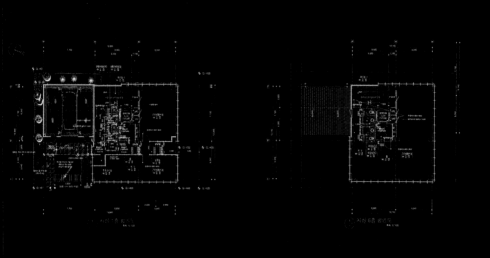

OSVC* 클리닉 2020

서로 다른 빛의 공존
Coexistence of Lights

*OSVC -Osaka Stemcell Vision Center

건축을 구성하는 다양한 요소에서 빛은 가장 중요한 요소 중 하나이다. 특히 종교 공간과 같은 현상학적 분위기를 형성하는 데 있어 빛의 힘은 강력하다. 구름 사이로 뻗어 나가 웅장하고 거대한 자연의 숭고함을 나타내는 것도, 소박한 촛불의 기도 공간에서 얼굴에 흔들리는 작은 그림자를 만들어 내는 것도 빛이다. 그러나 이러한 빛의 공간과 분위기의 존재론적 의미는 종교 공간과 사회적 역할이 다른 병원 공간에서도 필수적이다. 그림자도 없이 창백하면서도 있는 그대로를 보여줘야 하는 병원의 백색 공간에서 빛은 오히려 더 절실하다.

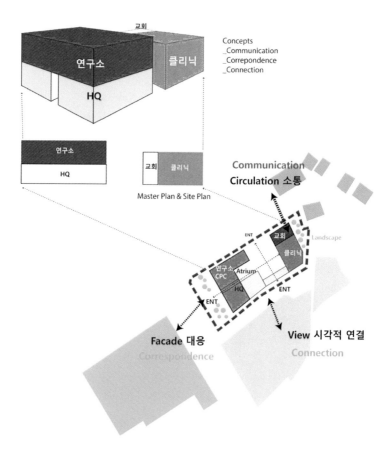

서로 다른 성격의 빛이 공존해야 하는 상황을 마주한다면 어떨까? 병원 공간 안에 있는 종교 공간은 아마도 생명과 실존의 연결고리를 상징하는 아주 작은 배려의 결과일 것이다. 이러한 빛이 어떻게 공존할 수 있을까? 병원의 공간에서의 빛은 어둡고 낮은 곳을 비추는 누구에게나 공평한 한 줌의 생명을 비추는 절실한 현실의 빛이다. 그에 비하면 종교 공간의 빛은 생명을 기원하는 간절함이 기대고 싶은 위안의 빛일지도 모른다. 같은 빛이지만 서로 다른 성격의 빛이 벽 하나를 두고 공존하는 곳이 바로 이곳이다. 예배당 문에 기대어 서 있는 지친 사람의 뒤쪽 문 틈새로 새어 나오는 빛은 환자의 수술 부위를 무표정하게 비치면서 동시에 예배당에서 우리의 마음을 위로하는 그런 야누스적 공존의 존재임을 절실하게 느낀다.

Elevation_West

Elevation_SouthEast

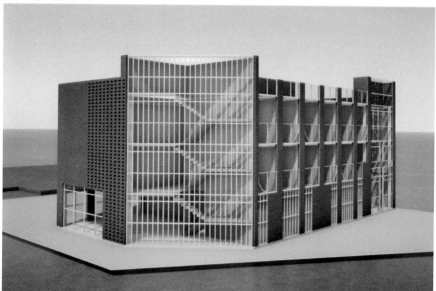

Interior_Chaple

OSVC 연구소 2020

건축적 개입과 공간의 경험
Spatial Experiences with Diverse Architec-
tural Interventions

Cultural facility and public space need connection, correspondence, and communication with neighborhood environments and architectural narrative acts the main role for the creation of spatial quality. The narrative of architecture consists with diverse architectural interventions such as topological transformation with penetration and void, placeness through local site analysis, natural elements with natural light, personal experience with circulation along with spatial scenario in this architectural design.

Warming Huts 2020-2022

기후와 장소성의 경험
Weather and Placeness Experience

Hut'n'Roll · Warming Huts on Ice

Concept

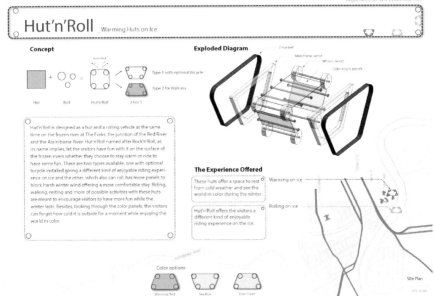

Hut'n'Roll is designed as a hut and a rolling vehicle at the same time on the frozen river at The Forks, the junction of the Red River and the Assiniboine River. Hut'n'Roll named after Rock'n'Roll, as its name implies, let the visitors have fun with it on the surface of the frozen rivers whether they choose to stay warm or ride to have some fun. There are two types available, one with optional bicycle installed giving a different kind of enjoyable riding experience on ice and the other, which also can roll, has more panels to block harsh winter wind offering a more comfortable stay. Riding, walking, resting and more of possible activities with these huts are meant to encourage visitors to have more fun while the winter lasts. Besides, looking through the color panels, the visitors can forget how cold it is outside for a moment while enjoying the world in color.

Exploded Diagram

The Experience Offered

These huts offer a space to rest from cold weather and see the world in color during the winter.

Hut'n'Roll offers the visitors a different kind of enjoyable riding experience on the ice.

Warming on ice

Rolling on ice

Color options

Warming Red

Sky Blue

Ever Green

Site Plan

Type 1 with optional bicycle

Type 2 for walk-up

Dice on Ice _Warming Huts on Ice

Concept

Pipe   Weaving   Hut   Dice on Ice

Type 1 for warming hut

Type 2 for shelter

'Dice on ice' is designed as a hut and shelter on the frozen river at The Forks, the junction of the Red River and the Assiniboine River. 'Dice on ice' is named with rhyme, as its name implies, letting the visitors rest in it on the surface of the frozen rivers whether they choose to stay warm or feel secured in an icy environment. There are two types of 'Dice on ice' with four-color variations of PVC pipes available. One for warming hut is with white or clear color installed giving a different kind of enjoyable staying experience on ice and the other with orange color that can also be used for hut, blocks harsh winter wind providing a more comfortable stay. Resting, hiding, being secure and more of possible activities with these huts are meant to encourage visitors to have more diverse activities while the winter lasts. Besides, special combination types are made with different colors of PVC pipes such as orange CPVC, white PVC, clear PVC for multi-functional warming hut.

Materials

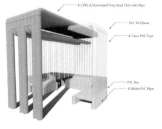

4" CPVC (Chlorinated Poly Vinyl Chloride) Pipe
PVC 90 Elbow
4" Clear PVC Pipe
PVC Tee
4" White PVC Pipe

Color options

Security Orange   Snow White   Invisible Ghost   Combination

The Experience Offered

Warming on Ice
These huts offer space to rest from cold weather and let the visitors enjoy the winter world on ice.

Shelter on Ice
Dice hut is recognizable to the visitors as a safe place on the ice.

Site Plan

Dice on Ice

The Ringing Hut

The Ringing Hut _Warming Huts on Ice

'The ringing hut on ice' is designed as a hut with sensible atmosphere on the frozen river, the junction of the Red River and the Assiniboine River. 'The ringing hut' is named after 'the ringing dog.Just let nature take its course', as its name implies, letting the visitors stay in it on the surface of the frozen rivers whether they choose to stay warm or feel secured in an icy environment. There is a 14'0"x7'0"x11'6" box with 4'aluminum pipe frame, light tower with tranlucent membrane inside the box. Skin of box consists with tranlucent membrane in 2 sides of box and with wood grid frame in the other sides. The visitors decorate wood frame with chime bells by themselves. People can go into the ringing hut installed and get a different kinds of enjoyable experience according to environmental change such as harsh winter wind(ringing bell) or sunlight(shadow). Resting, meditating, being secure and more of possible activities with this hut are meant to encourage visitors to have more diverse activities while the winter lasts.

Concept

Box + Light + Frame + Bell = The Ringing Hut

Light & Shadow | Sound | Atmosphere

The Experience Offered

Shelter on ice

Light/Shadow Tower on ice

Ringing Bell on ice

Site Plan

Materials & Configuration

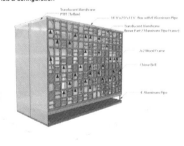

Translucent Membrane
PTFE (Teflon)

14'0"x7'0"x11'6" Box with 4 Aluminum Pipe

Translucent Membrane
Inner Part / Aluminum Pipe Frame

2x2 Wood Frame

Chime Bell

4' Aluminum Pipe

참고문헌

정태종. 소규모 주택 설계 과정에서 건축 평면의 위상학적 공간구성의 다양한 변화 가능성에 관한 연구. 대한건축학회 학술발표대회 논문집, 202310

정태종, 조현호. 위상학·복잡계 이론·현상학의 결합을 통한 복합 공간구성 건축 설계안. 대한건축학회 학술발표대회 논문집, 202204

정태종, 김건희. 한국 전통건축과 서양 현대건축의 위상학을 적용한 주거공간의 건축계획-솔리드/보이드, 엮기, 채 나눔의 위상학적 특성을 연결한 단독주택 공간구성-. 대한건축학회 학술발표대회 논문집, 202404

조현호, 정태종. 도시재생을 통한 한강 잠수교의 보행자 전용 문화공간 설계안-3차원 그리드 유닛의 파라메트릭적 구성을 기반으로-. 대한건축학회 학술발표대회 논문집, 202310

정태종. 위상학적 연산 방식의 조합을 적용한 복합 공간의 건축 설계 제안-위상학적 관통, 보이드, 폴딩, 대지건축을 이용한 공간구성의 근린생활시설-. 대한건축학회 학술발표대회 논문집, 202310

조현호, 정태종. 위상학적 연산과 프랙탈 기하학 특성을 적용한 건축설계안. 대한건축학회 학술발표대회 논문집, 202210

정태종, 김건희. 건축 요소의 상호의존성 조정을 통한 공간구성 통합화와 구축성의 변화 가능성에 관한 연구. 대한건축학회 학술발표대회 논문집, 202404

정태종. 기존 건축물의 위상학적 경계 조정에 따른 외부공간 재인식을 이용한 건축 리모델링 설계안. 대한건축학회 학술발표대회 논문집, 202310

역삼 근생. 한국건축설계학회 회원 초대전. 2020

OSVC 클리닉. 한국건축설계학회 회원 초대전. 2021

OSVC 연구소. 문화공간건축학회초대전. 2021

파주 근생 리모델링. 대한건축학회 2021년 춘계학술발표대회 국제
건축전. 2021

아산 근생. 한국설계학회국제초대전. 2022

홍은 주택. 한국설계학회국제초대전. 2023

세종대 퍼블릭 쉘터 디자인 공모전. 2021

Warming Huts: An Art + Architecture Competition On Ice,
Winnipeg, Manitoba, Canada. 2020-2022

한국문화공간건축학회 차세대문화공간 공모전. 융합과 하이브리드.
2021*

서울시 빈집활용 아이디어 시민 공모전 디자인부문. 2023*

근현대건축 활용 설계공모전. Bridging the Old and New. 2023*

*대학생 공모전

정 태 종

건축으로 세상을 읽는 공간탐구자. 단국대학교 공과대학 건축학부 조교수. 서울대학교 치과대학을 졸업하고 가톨릭대학교 성모병원 치과교정과 수련의와 의학박사를 마쳤다. 치과의사로 일하며 시간이 날 때면 국내외 건축물과 도시를 만나러 다녔다. 그러다 본격적으로 건축을 배우기로 결심했다. 미국 사이악(SCI-Arc.)과 네덜란드 델프트 공과대학교(TU Delft)에서 공부하고, 한국으로 돌아와 서울대학교 건축학과에서 공학박사를 마쳤다. 지은 책으로는 『도시의 깊이』 『말을 거는 건축』 (공저) 『모든 도시는 특별하다』 『가까이 있는 건축』 『50개 건축물로 읽는 세계사』
『우리의 공간은 공정합니까?』 『당신의 공간은 건강합니까?』 『작은 도시는 더 특별하다』 등이 있다.

CREDIT
김한규_아산 근생, 교육시설 증축, Warming Huts
김재섭, 김호진_트리니티 T, OSVC 클리닉, OSVC 연구소
박주영_퍼블릭 쉘터, 파주 근생
김건희_광주 주택
조현호_홍은 주택, 괴산 근생, 잠수교 복합문화공간*, 아산 주택, Warming Huts
박혜지, 조현호_서울시 빈집 프로젝트*
이정원_창경궁 대온실 리모델링*